命运之路

[美] **欧·亨利** /著　刘艳/译

内蒙古出版集团　远方出版社

图书在版编目（CIP）数据

命运之路 /（美）欧·亨利（Henry,O.）著；刘艳译. -- 呼和浩特：远方出版社，2013.4

（世界三大短篇小说之父作品集）

ISBN 978-7-80723-945-1

Ⅰ.①命… Ⅱ.①亨… ②刘… Ⅲ.①短篇小说—小说集—美国—近代 Ⅳ.①I712.44

中国版本图书馆CIP数据核字（2013）第076634号

命运之路

原　　著	欧·亨利
译　　者	刘　艳
责任编辑	孟繁龙
装帧设计	柏拉图创意机构
出版发行	内蒙古出版集团　远方出版社
社　　址	呼和浩特市乌兰察布东路666号
	（电话：0471 — 2236466 邮编：010010）
经　　销	新华书店
印　　刷	北京毅峰迅捷印刷有限公司
开　　本	670mm×960mm　　1/16
字　　数	144千
印　　张	15
版　　次	2013年11月 第1版
印　　次	2013年11月 第1次印刷
标准书号	ISBN 978-7-80723-945-1
定　　价	24.00元

如发现印装质量问题，请与出版社联系调换。

前 言

欧·亨利，原名威廉·西德尼·波特（1862年—1910年），1862年9月11日出生于美国北卡罗来纳州的一个小镇，父亲是医生。他幼年丧母，后随父移居祖母和姑妈家，姑妈林娜从小培养他绘画、写作、讲故事和文学欣赏的才能。17岁时，他到叔叔开的药房当学徒，两年后即取得药剂师执照。1882年，由于健康原因，他到西部得克萨斯州的一个牧场工作，从中获得了饲养牲口的丰富知识，并熟悉了西部民情。1884年以后，波特因为生计而不断更换工作，做过会计员、记者、土地局的制图员等。

改变波特一生的是1891年当上得克萨斯州首府奥斯汀第一国民银行的出纳。1894年12月，银行发现波特的账目上短缺了一小笔款项，随即解除了他的职务。1898年，波特被判处5年有期徒刑。由于拥有药剂师执照，他在监狱里被分配到医务室工作。工作之余，为了取得稿酬贴补女儿的生活，他开始了写作生涯。

起初，波特写的是短篇小说，寄往当时颇有影响力的《麦克吕尔》杂志发表，用的是笔名欧·亨利。1901年，因在狱中表现良好，波特得以提前获释，次年即赴纽约专门从事写作。1903

年,他与纽约《星期天世界报》签约,每周为该报提供一篇短篇小说,同时还为其他杂志供稿。1904年,他的第一部小说《白菜与皇帝》问世,这部小说以拉丁美洲一个虚构的小国安楚为背景,揭露美帝国主义推行殖民主义政策,掠夺拉丁美洲国家的自然资源。随后几年,他又推出了小说集《四百万》、《西部之心》、《都市之声》等作品。短短10年间,欧·亨利在报刊杂志上发表了近300篇短篇小说。由于作品内容贴近百姓生活,篇幅短小精悍,情节引人入胜,语言富于艺术表现力,深受读者喜爱,他被誉为"美国的莫泊桑"。

波特于1907年再婚,但这次婚姻并没有给他带来家庭幸福,为此他开始酗酒。1910年6月5日,波特因健康原因卧床6个月后去世。他的另外几个短篇小说集《善良的骗子》、《命运之路》、《陀螺》等,都是在他死后问世的。欧·亨利一生困顿,只有最后10年才在纽约定居。他平时所接触的多属社会底层的小人物,这些人物自然成为他小说的主体,其中多的是工人、女店员、公司或其他机构的小职员、穷艺术家、街头流浪汉、警察、骗子甚至盗贼。他用幽默的笔调,饱含着同情心,描写这些小人物生活的不幸。

《四百万》是欧·亨利最著名也是最出色的一部短篇小说集，其用意是：构成纽约这个大都市社会基础的，并非一般人所认为的400个举足轻重的上流人士或大亨，而是纽约市的400万普通民众，也就是他小说里各式各样的人物所代表的普通人。从这一点，可以看出欧·亨利的民主主义思想：《麦琪的礼物》里的一对年轻夫妇，为了互送圣诞礼物表达爱意，妻子卖掉了引以为傲的一头长发，为丈夫买了一条表链，而丈夫则卖掉了祖传的金表，买回一套精美的发梳来打扮妻子那已不复存在的美发，最终两人的礼物都没有派上用场，但这对贫穷夫妻的恩爱之情却弥足珍贵；《警察和赞美诗》写一个流浪汉因冬天来了无法再露宿街头，一心想进监狱换取3个月的食宿，于是几次三番为非作歹，没想到警察却视而不见，不予理会，等他在僻静的路旁听到教堂里传出的赞美诗的音乐，内心受到感染，决心弃旧图新、自食其力时，警察却无缘无故逮捕了他。作者通过这些故事，揭露了资本主义社会的是非颠倒，黑白不分。

我国读者对欧·亨利并不陌生，他的名篇曾被选入中学课本。我们根据欧·亨利作品的特点，以青少年读者的阅读趣味为基础，分成两辑，力求让读者对欧·亨利有更全面的认识。忠实于原著是译者所追求的终极目标，但欧·亨利用语幽默，常用俚语，有时还运用谐音和双关之类的修辞手法，要充分保持原作的韵味，翻译上有一定的困难；加上时代与文化背景的差异，译文中谬误之处在所难免，恳请读者批评指正。

目 录

命运之路 …………………………………… 1
心灵和摩天大楼 ………………………… 24
哈格雷夫斯的骗局 ……………………… 32
麦迪逊广场的天方夜谭 ………………… 46
纪念品 …………………………………… 52
多情的五月 ……………………………… 62
慈善事业数学讲座 ……………………… 69
幽默家的自白 …………………………… 77
催眠师杰夫·彼特斯 …………………… 87
提线木偶 ………………………………… 94
我们选择的道路 ………………………… 109
艺术良心 ………………………………… 115
重获新生 ………………………………… 122
女巫的面包 ……………………………… 131
比门塔薄饼 ……………………………… 136
爱情信使 ………………………………… 147

苹果的诱惑……………………………………… 152

感恩节的两位绅士……………………………… 169

言外之意………………………………………… 175

汽车等待的时候………………………………… 191

公主与美洲狮…………………………………… 197

人生的波澜……………………………………… 204

寻宝记…………………………………………… 211

剪亮的灯盏……………………………………… 222

命运之路

我曾在诸多道路上探寻,究竟什么是人生的真谛。
真挚的内心,坚定的昔年,光明的爱恋。
这一切,能让我赢得与命运的战斗吗?
我能否安排,选择,掌控,创造,
我的命运?

——摘自大卫·米尼奥未发表的诗

歌曲唱完了。这首歌是大卫作的词,乡村风味的旋律。小酒店桌边聚着的人们都开心地鼓掌,因为这位诗人给大家付了酒钱。只有公证人帕皮诺先生听了歌词后摇了摇头,因为他有学问,也没和大家一起喝酒。

大卫走出门,来到街道上,晚风吹散了他头上的酒气。他想起白天和伊冯娜吵了架,他下定了决心,当晚就离家出走,去闯闯外面的大世界。

"当我的诗句脍炙人口,"他在陶醉中告诉自己,"也许,她会想起今天说的那些难听话。"

除了小酒店里仍热闹非凡,村里的人都就寝了。大卫悄悄回到父亲的农舍,摸进自己在棚屋里的房间,把自己的衣物捆成一卷,用根棍子往肩后一挑,便掉头朝外,走上了通往外乡的维尔诺依村的大路。

他路过父亲的羊群,它们正蜷缩在羊圈里过夜——他每天放牧这些羊,任它们四下乱跑,自己则把诗句写在小纸片上。他看见伊冯娜的窗户还亮着灯,微微动摇了一下他那突如其来的计划。也许那道灯光说明她在后悔,她气得睡不着,第二天早上说不定——但是,不!他下定决心了。维尔诺依村不是他应该待的地方,这儿一个知音也没有。他的命运和未来就在那条出村的大路上。

月光下的黯黑原野上,大路延伸了三英里,路像耕出的犁沟一样直。村里人都说,走这条路能到巴黎;而"巴黎"这两个字是诗人常常一边走路一边轻声念叨的。大卫从未离开过这个村子。

左岔道

沿着这条路走出三英里,便是谜一般的岔路口。一条更宽阔的大路和脚下这条路直角相汇。大卫站在路口,有些犹豫,之后便左转沿着大路走去。

这条更宽阔的大路上有车轮印,表明最近有车辆经过。一个半小时后,陡峭的山脚下果然有一辆庞大的马车陷在小溪的污泥里,动弹不得了。车夫和左马骑手们大声喊着,使劲拽着马缰绳。一个身形庞大、全身黑衣的男子站在路边,旁边还有一个身材苗条、披着轻便长斗篷的女子。

大卫看出这些仆人在白费力气。他立刻自任指挥,不让这些驾车的人再大声吆喝马,而用力气去推车轮。只让马车夫一个人用牲口听惯了的声音喊,大卫则用结实有力的肩膀抵住马车后部。大家一起用劲,终于使笨重的马车回到了结实的路面上。驾车的人回到各自的座位上。

大卫斜站着看了一阵。那位身材魁梧的绅士挥了挥手,说:"你到车厢里去吧。"他的嗓音粗重,与他的个头一样。不过,圆熟和教养使它变得稍稍中听了一点儿，一般人听到这类声音都会服从。年轻的诗人犹豫了一会儿，但第二次命令使他没时间犹豫了，他的脚踏上了车厢台阶。黑暗中，他依稀分辨出那女子在后座上。他正要坐在她的对面，那个声音又命令道："你坐在她身边。"

身躯庞大的绅士坐在前座上。马车开始上山了。女子安静地坐在一角。大卫猜不出她是老是少，可她衣服上的幽香使诗人无端地相信，女子神秘的外表下定然是一番可爱。这不正是他常常梦寐以求的探险故事吗？不过，现在他无法解开这个谜，因为他与这两个神秘的旅伴一起坐着的时候，始终无人开口说话。

一个小时后，大卫从车窗看到马车穿行在一个小城中，然后停在一所大门紧闭的黑乎乎的大宅前。一个侍从走下车，不耐烦地"咚咚"敲门。楼上有人猛地推开一扇格子窗，探出一个带着睡帽的脑袋。

"谁这么晚打扰我们？我们已经关门了。这种时候有钱的旅客不会还找不到住处。别敲了，快走吧。"

"开门！"侍从着急地喊道，"开门！这是蒙塞尼尔·博佩杜依斯侯爵。"

"噢！"楼上的声音叫起来，"爵爷您恕罪，我事先不知道——这么晚——马上开门，全宅都等爵爷吩咐。"

宅门里传来铁链和门闩响动的声音，宅门大开。西弗·福拉贡宅的老板手持蜡烛站在门口，他还没穿好衣服，又冷又怕，直打哆嗦。

大卫跟随侯爵走下马车。侯爵又给他下达了一道命令："扶一下这位小姐。"诗人照办了。他扶她下车时，发现她的手在颤抖。第二道命令是："进屋。"

他们走进旅店里长长的餐厅。大橡木桌从这头一直延伸到那头。在桌子较近的一端是高壮的绅士。女子坐在靠墙的另一张椅子上，看上去非常疲倦。大卫站着，想着如何得体地告别，以便继续上路。

"爵爷,"店老板深深鞠了一躬,说,"要——要是知道爵爷驾临,肯定早备好一切招待您。现在只剩下一些葡萄酒和冷肉,也——也许——"

"蜡烛。"侯爵说道,一只肥白的手习惯性地伸出,摊开五指。

"是——是,爵爷。"半打蜡烛被拿来,点燃了,放在桌上。

"爵爷您是否肯赏脸尝尝一种勃艮第葡萄酒——有一桶——"

"蜡烛。"爵爷说着,又摊开五指。

"是——马上——我这就去,爵爷。"

一打蜡烛又点燃了,照亮了整个大厅。侯爵庞大的身躯满满当当地塞在椅子里。他从头到脚都是华贵的黑衣,只有袖口和领子上有白色绉边。连剑柄和剑鞘都是黑色的。他带着一种透着轻蔑的骄傲的表情。上翘的胡子几乎碰到了满是嘲弄的眼睛。

女子一动不动地坐着。大卫看出她很年轻,模样楚楚动人。她这一番可爱何等地遭受冷落,大卫正出神地想着,猛然被侯爵浑厚的声音吓了一跳。

"你叫什么,做什么工作?"

"大卫·米尼奥,我是诗人。"

侯爵的胡子翘得几乎接近了眼角。

"你靠什么生活?"

"牧羊,我看管父亲的羊群。"大卫答道,头抬得高高的,脸上却红了。

"那么,羊倌兼诗人先生,你今晚撞上大运了。这女子是我的侄女,露西·德瓦兰娜小姐。她是个贵族,每年有一万法郎的遗产收入。至于她的容貌,你自己看得见。如果你这羊倌对这些条件满意,只要一句话,你就可以娶她。别打断我的话。今晚我把她带到孔特·维勒默庄园,本打算让她嫁给早已允诺要嫁的新郎。宾客们都聚齐了,神甫也在等待,一个地位和财富都很般配的人即将与她成婚。可是,在祭坛前,这个原本温顺驯良的小姐,突然像只母豹子似的发作起来,指责我犯有种种酷行和罪恶,在呆住的神甫面前,毁弃了我为她立下的婚约。我当场就以众恶魔之名发誓,她必须与我们离开庄园后见到的第一个男人结婚,不论他是王子、烧炭工还是贼。你,羊倌,是第一个。她今晚必须嫁给你。如果你不答应,就是下一个。你有十分钟时间做出决定。别拿废话或问题来烦我。只有十分钟,羊倌,时间快着呢。"

侯爵白白的手指头重重地敲着桌子。他借着等待之名陷入沉默。大卫感觉侯爵仿佛一座大宅,门窗都紧闭着,拒绝任何外人进入。大卫本想说话,可他的嘴被这庞大身躯的气势堵住了。他转而站到女子身边,对她鞠了一躬。

"小姐,"他说着,惊奇地发现自己在如此优雅美丽的女子面前言辞如此流畅,"您已听到了,我是个牧羊人。我自认也是个诗人。"

"如果检验诗人的标准是对美的仰慕和珍惜,那么我更有理由自认为是诗人了。我能如何为您效劳,小姐?"

年轻女子用无泪而哀伤的眼神看着他。他那坦率热切的脸庞因冒险而显得庄重严肃,他身材强壮矫健,蓝眼睛里的一汪同情,充满了她久久渴求的关心和善意,一下子让她的泪水夺眶而出。

"先生,"她低声说道,"你看起来真诚善良。他是我的叔叔,我父亲的兄弟,我现在唯一的亲人。他爱上了我的母亲,他恨我,因为我和母亲长得很像。他使我的生活充满了恐惧。我害怕看见他的面容,以前也从不敢有任何违逆。但今天晚上他要把我嫁给一个年长我三倍的男人。先生,原谅我把你扯进这桩麻烦中。他强加给你的疯狂要求你当然可以拒绝,但至少让我谢谢你的关爱仁慈之言,这些年来从没有人这样对我说过。"

诗人眼中包含的已不仅仅是怜悯和关爱了。他定是诗人无疑了,因为伊冯娜已被忘却。如此清新可爱,蕴涵着生机活力的美人,牢牢抓住了他的心。他因她身上微微的香味而产生了一种奇妙的感情。他温柔的目光暖暖地落在她的身上。她也因为渴望而委身其中。

"仅仅十分钟,"大卫说,"就要让我决定一件需要很多年才能完成的事情。我不会说我怜悯你——这并不真切,我要说我爱你。我不敢期望你现在爱我,但是我要把你从这个残酷之人手中解救出来,请允许我这么做。也许渐渐地,你会爱上我。我对自己的未来充满信心,我不会永远做个牧羊人。目前我会全心地珍爱你,减少你生命中的忧伤,你愿意把你的命运托付给我吗?"

"你要因为怜悯而牺牲自己吗?"

"是为了爱。时间要到了,小姐!"

"你会因后悔而鄙弃我的。"

"我惟愿自己活着所做的一切都能让你幸福,能让我配得上你。"

斗篷下,她纤细的手悄然滑入他的手心。

"我托付给你我的生命,"她低声说道,"而——而爱也不像你想得那么遥远。答应他,我一旦从他的目光中解脱就会忘记过去。"

大卫走过去,站在侯爵面前。侯爵动了一下,充满嘲弄的眼睛瞟了瞟客厅的大钟。

"还有两分钟。一个羊倌盘算要不要娶一个有钱的美人居然要花八分钟!说吧,羊倌,你愿意成为这位小姐的丈夫吗?"

"这位小姐,"大卫昂首挺胸地站着说道,"已经惠准了我的求婚,愿意嫁给我。"

"说得漂亮!"侯爵说,"你倒有几分求婚者的伶牙俐齿,羊倌大爷。不管怎样,如果不是你,也许小姐的下场更坏呢。行了,让神甫和上帝赶紧把这件事了了!"

他用剑柄狠狠地敲着桌子。店老板双腿哆嗦着，捧来了更多的蜡烛，以为侯爵老爷又想要了。"带个神甫来，"侯爵说，"一个神甫，明白吗？找个神甫来，十分钟内，否则——"

店老板扔下蜡烛，飞奔而去。

神甫睡眼惺忪、衣冠不整地来了。他宣告大卫·米尼奥和露西·德瓦兰娜结成夫妻，把侯爵扔给他的金币揣进衣袋，又拖着步子消失在夜色中。

"葡萄酒。"侯爵又向房东摊开不祥的五指，命令道。

葡萄酒拿来了，他说道："斟满杯子。"烛光中，他起身站立在桌子一端，恶毒而自负，像一座黑色的山，当年旧情变做眼前新恨的记忆充满了他的眼睛，他的眼光就落在侄女身上。

"米尼奥先生，"他举起酒杯说道，"我的祝词是：你的一生会因与你成婚的这个女子变得污秽悲惨。她的血液里承载着乌黑的谎言和殷红的毁灭，耻辱和忧虑是她唯一能带给你的东西。降临在她身上的妖魔盘踞在她的眼睛、她的肌肤、她的嘴里，邪恶到愿意卑躬屈膝，去引诱一个农夫。你的幸福未来就是这样的，诗人先生。干杯！小姐，我总算摆脱掉你了。"

侯爵喝干了酒。轻声的悲伤啜泣从女子的双唇发出，仿佛突然间受了伤。大卫手持酒杯，向前迈了三步，直视侯爵，完全不像个羊倌的姿态。

"刚才，"他平静地说，"我有幸被你称做'先生'。因此，我希望我因这门亲事与你更接近——这么说吧，从等级上讲——能否让我在处理一桩个人小事时与你平起平坐？"

"就算是吧，羊倌。"侯爵藐视地说。

"那么，"大卫一下子将酒举到那双满是藐视、正在嘲笑他的眼睛面前，"也许你肯屈尊与我决斗？"

伴随着一声咒骂，侯爵的怒火爆发了，仿佛号角突然刺耳作响。他把剑从剑鞘拔出来，对着惊慌失措的店老板喊道："拿把剑给这个乡巴佬!"他转头看着那姑娘,笑声令她寒彻心扉:"夫人,你给我添麻烦了。看来我得在同一天夜里让你嫁人再把你变成寡妇。"

"我不会剑术。"大卫说。在妻子面前承认这一点,他脸都红了。

"我不会剑术。"侯爵戏弄地学舌道,"我们不会要像农夫一样拿着橡木棒打架吧?行啦!弗朗索瓦,拿枪来!"

一个侍从从枪套里抽出两把大手枪,枪上饰有银雕,闪闪发光。侯爵顺手拿起一把,扔在大卫手边的桌上。"站到桌子另一端去,"他叫道,"羊倌也会扣扳机吧。难得一个羊倌能有死在蒙塞尼尔枪下的这份荣幸。"

长桌的两端分别站着牧羊人和侯爵。店老板像发疟疾一样战栗不停,喘着气,结结巴巴地说:"蒙——蒙——蒙塞尼尔先生,看在上帝的份上!别在我店里动手!——别在这儿弄出人命——我这儿的规矩会坏了的——"侯爵用杀气腾腾的目光威胁着他,他不再说话了。

"胆小鬼,"蒙塞尼尔侯爵叫道,"牙停一会儿再打战,给我们发令就行。"

房东扑通一下跪在地板上。他什么都说不出来了,连声音也发不出。但从他的手势来看,他还在以他的房子和规矩的名义祈求停战。

"我来发令!"女子清楚地说。她走到大卫身边深情地一吻。她的眼睛闪闪发亮,双颊也有了血色。两个男人端平了枪,等着靠墙站立的她发令。

"一——二——三!"

两声枪响分不出先后,连蜡烛都似乎只闪了一次。侯爵面带笑容站在那里,左手五指松开,撑在长桌一端。大卫依然站着,极慢地扭过头去,用目光找寻妻子。然后,他像衣架上滑落的衣服一样，倒了下去，蜷缩在地上。

伴随着一声轻轻的充满恐惧和绝望的哭叫，这个还是处女的寡妇跑过去，俯下身来。她找到了他的伤口，抬起头来，刚才的苍白和忧郁又回到了她的脸上。"打穿了他的心脏，"她低声道，"啊，他的心！"

"过来，"侯爵浑厚的声音又响了起来，"上车去！天亮前我必须把你打发了。今晚，你一定要再结婚，丈夫还得是活的。下一次遇到什么人都好，管他是拦路的强盗还是农夫。要是一路上碰不上任何人，就嫁给替我开门的粗汉。上车去！"

高大强横的侯爵，重新被神秘斗篷裹住的女子，拿着武器的侍从——一行人走向等待着的马车。沉重的车轮隆隆远去的声音回荡在熟睡的村庄上。在西弗·福拉贡宅子的大厅里，吓坏了的店老板站在诗人的尸体前不知所措，二十四支烛光仍在桌上跳动闪耀。

右岔道

谜一般的岔路口出现在这条路走出三英里的地方。脚下这条路与一条更宽阔的大路直角相汇。大卫站在路口，停顿了一下，右转沿着大路走去。

他不知道这条路通向哪里，但当天晚上他下定决心远远地离开维尔诺依村。走了一英里，他经过一个庄园，很明显，庄园刚刚接待过客人。每个窗口都映出灯光，在庄园门口宽敞的通道上，纵横交错地布满了客人的车辆留下的轮迹。

大卫又走了三英里，觉得累了。他在路边的松树枝上睡了一会儿，然后起来接着走上未知的道路。

就这样，他在这条宽阔的大路上走了五天，有时睡在松树上，有时睡在农家的草垛上，有时吃好客的农家给的黑面包，有时喝溪水，有时也遇上乐于分给他一杯水喝的牧羊人。

最后他走过一座大桥，来到这座梦中的城市，这座城市毁灭或成就的诗人比世界上任何地方都多。巴黎唱起了欢迎曲——那人声、脚步声和车轮声的合奏曲，使他的呼吸不禁变得急促起来。

在康蒂大街一幢老房子顶层屋檐下的一个房间里，大卫付了房钱，坐在一张木头椅子上，开始写诗。这条曾经住满权贵显要的大街，如今荣光渐退，住进了接踵而来的各色人等。

这些高高的房子衰败中仍见气派，不过多数空空荡荡的，常驻着灰尘和蜘蛛。晚上，此起彼伏的是各处小酒馆中金属酒杯相碰、狂欢喧哗之声，不绝于耳。原本的士绅雅居之地，现在粗俗放纵，污浊不堪。不过，大卫瘪瘪的钱袋正好与这种房子相配。从早到晚，他的笔都在纸上涂来抹去。

一天下午，他下楼买吃的，拿着面包、凝乳和一瓶酸葡萄酒正往回走。在黑洞洞的楼梯上走到一半，他遇见——不如说撞见，因为这女子正坐在楼梯上休息——一个漂亮的年轻女郎，美得连诗人的才思都不足以曲尽其妙。一袭宽松的黑斗篷下，露出里面华丽的长裙。随着脑中的丝丝念头，她的眼神变幻莫测。她的眼睛一会儿圆圆的，单纯天真得像个孩子；一会儿又狭长狡黠如吉普赛女郎。她一手提起长裙，露出一只高跟鞋，带子松了，没系上。她如此圣洁而不适宜弯腰屈膝，多么富有魅力，多么让人想听其召唤！也许她已经看见大卫走过来了，正等着他帮忙。

啊，请原谅她挡在楼梯上，还不是那只鞋！——那不听话的鞋！哎呀，怎么就松了呢？啊，不知先生可否屈尊！

诗人把那两根鞋带打上结，手指一直颤抖着。他本可以从她面前逃走，躲过随之而来的种种不测，可是，那双眼睛变得如吉普赛女郎般狡黠细长，慑住了他。他倚靠在楼梯扶手上，手里攥着那瓶酸葡萄酒。

"您真好，"她笑着说，"请问先生是否住在这里呢？"

"是，夫人！我——我想是的，夫人！"

"难道是住在三楼？"

"不，在高处。"

女郎抖动着手指，一副悠悠然的样子，完全没有走开的意思。

"请原谅，我问了个冒失的问题。先生能原谅我吗？我问先生的住址肯定是不合适的。"

"夫人，别这样说，我住在——"

"不，不，不，别告诉我，我问了不该问的话，我知道。可我忍不住对这房子和房子中的一切感兴趣。我的家曾在这里。我常常来这儿，只是为了回忆从前的快乐时光。您能接受这个理由吗？"

"你不需要任何理由，我来告诉你，"诗人结结巴巴地说，"我住在顶层——楼梯拐角处的小房间。"

"前边那间吗？"女郎头歪向一侧问道。

"后面那间，夫人。"

女郎松了口气。

"不耽误您的时间了，先生，"她说着，眼睛又变成圆圆的，如孩童般单纯天真，"请照管好我的房子。哎呀，我只有对房子的回忆罢了。再会，请容我谢谢您的关照。"

她离去了，只留下一个微笑和一丝甜甜的香味。大卫梦游般地登上楼梯。等他醒过神来，身边仍萦绕着微笑和香味，而且似乎最终也未曾远离。这个他一无所知的女郎令他灵感勃发，走笔写下眼之诗、顿生爱慕之歌、鬓发颂，还有献给纤足之轻履的十四行诗。

他无疑是个诗人，因为伊冯娜已被忘却。如此清新可爱，蕴涵着生机活力的美人，牢牢抓住了他的心。她身上微微的香味使他产生了一种奇妙的感情。

某天晚上，这幢楼三层某个房间的桌旁围坐着三个人。三把椅子、一张桌子和一支点燃的蜡烛，便是房间里的全部家当。三人中的一个身形庞大，全身黑衣。他带着一种透着轻蔑的骄傲的表情，上翘的胡子几乎碰到了满是嘲弄的眼睛。第二个是位年轻美貌的女子，她的眼睛有时圆圆的，像孩子一样单纯天真，有时又狭长狡黠如吉普赛女郎。不过，这双眼睛现在热切而雄心勃勃，像天下任何密谋者一样。第三个是位实干家，一个大胆而毫无耐心的任务执行者，一个喷火的钢铁斗士。另两人称他为德罗勒上尉。

这人的拳头捶着桌子，强忍着怒气说：

"今晚就动手。在他去做午夜弥撒的路上。我受够了拖而不决的策划。我烦透了暗号、密码、密会和类似的蹩脚戏。我们光明磊落地叛乱吧。如果法兰西需要除掉他，我们就公开干掉他，别再布圈套设陷阱了。我说了就是今晚，言必果，我可以自己动手。今晚，就在他去做弥撒的路上。"

女子热情地看了他一眼。女人，无论天生如何执著于密谋，都一定会对一往无前的勇气感到佩服。高壮的男子则捋着他上翘的胡须。

"亲爱的上尉，"他说道，粗重的嗓门由于教养变得稍稍中听一点儿，"这一次我同意你的计划，一直等下去不会有什么好处。王宫里有不少忠于我们的卫兵，足以保证这次行动的安全。"

"今晚就动手，"德罗勒上尉重复道，又捶了下桌子，"话我已经说了，侯爵，我亲自动手。"

"但是现在，"高壮的侯爵温言道，"有一个难题。必须给王宫里我们的人传信，约定信号。我们之中的顶尖勇士才能随从国王马车。这个时候谁又能一路深入到王宫南门去送信呢？里布在那里值班，只要把消息告诉他，一切就稳妥了。"

"我来送信。"女子说。

"你，子爵夫人？"侯爵扬了扬眉毛，说，"我们知道，你固然有伟大的奉献精神，但是——"

"听着！"女子喊道，站起身来，把双手搁在桌子上，"这幢房子的阁楼上住着一个外省来的年轻人，如同他放牧的羊群一样单纯温顺。我在楼梯上遇见过他两三次。我担心会面之处离他太近，问过他住哪儿。只要我乐意，他肯定听任我摆布。他住在阁楼里写诗，而我猜他准是对我想入非非。他会照我说的做的。他将把消息带到王宫。"

侯爵站起身来，鞠了一躬。"你打断了我的话，子爵夫人，"他说，"我本想说，你的奉献精神固然伟大，而你的机智和魅力更是无人能及。"

当密谋者忙着商议时，大卫正精雕细琢着献给楼梯上的爱人的几行诗。忽然传来一阵怯怯的敲门声，大卫开门一看，是她，他的心猛地一跳。她大口地喘着气，好像有什么危难，眼睛圆睁，像个孩子一样单纯天真。

"先生，"她说，"我在困境中求助于您。我相信您真诚而善良，并且我找不到别的人帮忙。我好不容易从街上飞奔过来，经过许多咋咋呼呼、傲气十足的男人。先生，我的母亲快死了。我舅舅是王宫里的卫兵上尉。必须捎信飞速把他请来。我希望——"

"小姐，"大卫打断了她，眼睛里闪烁着助人的渴望，"您的希望就是我的翅膀。请告诉我怎么找到他。"

女子把信封好，然后塞到他手中。

"去王宫南门——记住，是南门——对那儿的卫士说：'猎鹰已经离巢。'他们会让您通过，这样您会来到宫殿的南门入口。把这句口令重复一遍，把信交给回答'让他在愿意的时候出击'的人。先生，这是我舅舅告诉我的暗号，现在国内局势不稳，针对国王的密谋不断，如果没有暗号，谁也不能在夜幕降临之后进入王宫。假如您愿意，先生，请把这封信交给我舅舅，好让我母亲在闭眼之前见他一面。"

"把信给我,"大卫热切地说,"不过,这么晚您一个人穿过这些街道回家可以吗?我——"

"别,别——快去呀。每一秒都像珍珠一样宝贵。有一天,"女子说着,眼睛又变得像吉普赛女郎一样狭长狡黠,"我要答谢您的好心。"

诗人把信塞进胸前的口袋里,直奔下楼。女子呢,等他离开以后,就回到了楼下的房间。

显然,侯爵那富于表情的眉毛在询问她。

"他去了,"她说,"送信去了,像他羊群里一只快腿的蠢绵羊一样。"

德罗勒上尉的拳头捶得桌子又是一震。

"见鬼!"他叫道,"我忘带手枪了!谁动手我都信不过!"

"拿上这个,"侯爵说着,从斗篷下抽出一把大手枪,枪上饰有银雕,闪闪发光,"确实没有更可靠的人了。但你要保管好这把枪,因为上面有我的纹章和顶饰,他们早就怀疑我了。我嘛,今晚必须离开巴黎,在天亮之前出现在自己的庄园里。再见,亲爱的子爵夫人。"

蜡烛被侯爵吹灭了。女子紧紧地裹在斗篷里,和另外两人一起轻轻地下了楼,汇入康蒂大街窄窄的人行道上四处涌动的人流之中。

大卫疾步如飞地走着。在王宫南门,一支戟拦在了他胸前,但他一说"猎鹰已经离巢",卫兵就让开了。

"请过,兄弟,"卫兵说,"快走吧。"

在宫殿南入口的台阶上,卫兵们要来抓他,但这句暗号又一次如咒语般让卫兵们住了手。有个人走上前来说:"让他在愿意——"这时,卫兵中发生了一阵骚动,表明出意外了。一个目光敏锐的人,迈着军人式的大步突然挤出人群,把大卫手中的信抢过去。"随我来，"他说着，把大卫领进宫门内的大厅。他撕开信封读起来，接着对路过的一个火枪手军官模样的人招了招手，"特罗上尉，逮捕宫殿南大门和南入口的卫兵，把他们关起来。这些位置要换上忠诚可靠的人。"然后他对大卫说道："随我来。"

大卫跟着他走过一条走廊和候见厅，来到一个宽敞的大房间，看到一个面色忧郁、衣着素净的人，坐在一张宽大的皮椅上沉思。卫兵对那人说：

"陛下，宫里满是叛贼和奸细，我说过，就像下水道里满是老鼠一样。您觉得我是无中生有。这就是在他们的合谋下，深入到了您的宫殿入口的人。他带来了一封信，被我截获了。我把他带到您的面前，也许陛下不会再认为我的担心是多余的。"

"我来问他。"国王说着，在椅子上动了动。他疲倦地看着大卫，眼睛里好像蒙了一层雾。大卫单腿跪下。

"你来自哪里？"国王问。

"从厄尔·卢瓦尔省的维尔诺依村来的，陛下。"

"你在巴黎做什么工作？"

"我——我想成为诗人，陛下。"

"在维尔诺依村你是干什么的？"

"我替父亲照管羊群。"

国王又动了动，眼中的薄雾消失了。

"啊！在田野里牧羊？"

"是的，陛下。"

"你生活在田野里，在凉爽的早晨出门，躺在绿茵茵的树篱边。羊群散布在山坡上，你喝着潺潺的溪水，在树阴下吃着香甜的黑面包，还能听到树丛里啾啾的鸟鸣。是这样吗，牧羊人？"

"陛下，是这样，"大卫答道，叹了口气，"我还听见蜜蜂在花丛中嗡嗡飞舞，有时还听见采摘葡萄的人在山上唱歌。"

"对，对，"国王有点焦急地说，"也许能听见他们唱歌，但肯定听得见画眉唱歌。它们总是在树丛里歌唱，不是吗？"

"陛下，没有哪儿的鸟儿比厄尔·卢瓦尔省的画眉的歌声更甜美了。我曾尝试在诗里描绘它们的歌声。"

"你能背几行吗？"国王激动地问道，"很久以前我听过画眉唱歌。如果能用诗句再现画眉的歌声，简直胜过拥有一个王国。那么，在暮色里你把羊儿赶回羊圈，然后在宁静之中享用你的面包？你可以背诵你写的诗句吗，牧羊人？"

"诗句是这样的，陛下。"大卫充满了崇敬的激情，念道：

> 慵懒的牧人，快看你的小羊羔，
> 在草地上狂欢、嬉戏，
> 看着被微风吹起的羊毛，
> 听听潘神吹响他的苇笛，
> 听听在树梢鸣叫的我们，
> 看看我们在羊群头上盘旋，
> 给我们羊毛筑个温暖的巢，
> 就在树枝——

"请陛下原谅，"一个粗哑的声音打断道，"我有一两个问题要问这写诗的。时间紧迫。如果我出于对陛下安全的担忧冒犯了陛下，希望陛下恕罪。"

"杜马尔公爵忠心耿耿，决无冒犯的意思。"国王说着，又缩回椅子里，眼睛又像蒙上了一层薄雾。

"首先，我给您读他带来的信：

'今晚是王储去世周年纪念。如果他按惯例去做午夜弥撒为儿子的亡灵祷告，猎鹰将会出击，就在埃斯普拉纳德大街拐角处。如果他确有此意，在王宫西南角屋顶的房间里点上红色的灯，以通知猎鹰。'"

"农夫，"公爵严厉地说，"现在你知道信的内容了。谁把这封信交给你的？"

"公爵大人，"大卫诚恳地说，"我会说的。一位女士把信交给我。她说她母亲生病了，这封信能让她舅舅去到母亲的床边。我不懂这封信的意思，但我发誓她是位美丽善良的女子。"

"说说这女人长什么样，"公爵命令道，"说说你是怎么受骗的？"

"说说她的模样！"大卫温柔地笑着，"这等于说能用语言创造奇迹！哦，她就是光明与黑暗的化身。她身材苗条得像杨柳，也像杨柳一样婀娜多姿。当你看着她的眼睛，会发现那双眼睛变幻莫测：一会儿是圆的，一会儿半合着，好像从两片云彩后面窥视的阳光。她来的时候，仿佛天国降临。她离开时，只有一团混沌和荆条花的香味。她是在康蒂大街二十九号找到我的。"

"这房子正是我们一直在监视的。"公爵说着，转向国王，"多亏了诗人的巧舌，给我们描绘出了臭名远扬的库珀多子爵夫人。"

"陛下，公爵大人，"大卫热诚地说，"希望我的笨嘴拙舌能描绘出她的美貌。我仔细观察过她的眼睛，不管这封信如何，我以生命担保她是个天使。"

公爵稳重地看着他，"我会考验你的。"他缓缓说道，"你会穿戴得像国王一样，在午夜乘坐他的马车去做弥撒。你接受这个考验吗？"

大卫笑了。"我仔细观察过她的眼睛，"他说，"那双眼睛已经通过了我的考验。您尽管考验我吧。"

十一点半的时候，杜马尔公爵亲自在宫殿西南角的窗前点亮了一盏红灯。十二点差十分，大卫从头到脚穿得和国王一模一样，把脑袋缩进斗篷里，在杜马尔公爵的搀扶下，从王宫缓步走向等待着的马车。

公爵把他扶进车厢，关上门。国王的马车朝教堂飞驰而去。

在埃斯普拉纳德大街拐角处的一所房子里，特罗上尉带领二十个人，正处于高度戒备中，准备着叛贼一旦出现便扑上去。

但是看来出于某种原因，密谋者稍微改变了一下方案。当国王的马车来到距埃斯普拉纳德大街还有一个街区的克里斯托弗大街的时候，德罗勒上尉猛冲过来，带着一队一心要刺杀国王的人，向马车队伍发起突袭。马车上的卫兵对这次提前偷袭感到十分吃惊，但还是下车英勇还击。特罗上尉听到交战的声响，沿街冲过来救援。就在这时，孤注一掷的德罗勒上尉已经撞开了车门，猛地用手枪抵住里面的黑衣人，开了一枪。

忠于国王的援军现在赶来了，街上到处是叫喊声和刀剑撞击声，受惊的马拉着车跑远了。车座上躺着可怜的冒牌国王兼诗人的尸体，射杀他的是来自蒙塞尼尔·博佩杜依斯侯爵的手枪的弹丸。

坦　途

这条路走出三英里，就是谜一般的岔路口。脚下这条路与一条更宽阔的大路直角相汇。站在路口的大卫，犹豫了一会儿，便坐在路边休息。

他不知道这些路通向哪儿。每条路似乎都通向一个充满机遇和危险的大世界。他坐在路边，看见一颗明亮的星星，他和伊冯娜把它选为他们自己的星星。他开始思念伊冯娜了，又在想自己是否太轻率了。为什么几句口角就让自己离开伊冯娜和家呢？难道爱如此脆弱，妒忌——爱情存在的明证——就能把它打碎？隔夜的小小痛心事总能在第二天早上愈合。现在还来得及回家，维尔诺依村还在甜美的睡梦之中，没人会发现他的事。他的心属于伊冯娜，他总能在他从小生活的地方写诗，总能找到快乐。

大卫站起身来，抖落了一直扰得他躁动不安的情绪。他坚定地掉转头，顺着来时的路走回去。回到维尔诺依村时，他已经完全打消了出外闯荡的念头。他走过羊圈，绵羊被他深夜的脚步声惊动了，羊圈里响起一阵慌乱的声音，绵羊咩咩直叫，这熟悉的声音让他的心感到一阵温暖。他悄悄地回到自己的小屋躺下来，庆幸这双脚不用在新的旅途中遭受跋涉之苦了。

他多么了解姑娘的心！第二天晚上，伊冯娜就在年轻人常常聚集听神甫布道的路边水井旁等待着，因为大卫可能上这儿来。她的眼角在寻找着大卫，虽然那紧闭的嘴唇看上去一副铁了心的样子。大卫看在眼里，勇敢地凑到她跟前，使那紧闭的嘴说出了回心转意的话，又在回家的路上赢得了它的一个亲吻。三个月后，他们结婚了。大卫的父亲既能干又有钱，他为新人操办了一个方圆三英里都称得上隆重的婚事。夫妇俩在村子里都很招人喜欢。新婚游行在街上举行，青草地上举办了舞会，还从德鲁克斯请来了一个杂耍演员和一个木偶戏班子来款待客人。

一年以后，大卫的父亲去世了。大卫继承了绵羊和农舍。大卫已经拥有村里最贤惠的妻子了。伊冯娜的牛奶桶和铜水壶擦拭得闪闪发亮——啊！阳光下它们能让你的眼睛都花了。不过，你应该睁眼好好看看她的院子，因为花圃整洁又鲜艳，你的眼睛会因为它们而变得明亮起来。你可能听得见她唱歌，歌声甜美清脆，连格鲁诺大叔铁匠铺上方的栗树那儿都能听见。

但是有一天，大卫从尘封已久的抽屉里拿出纸来，又开始咬铅笔杆了。春天又来了，大卫的心被撩拨着。他定是诗人无疑了，因为伊冯娜几乎被忘却了。可爱的大地，美丽而清新，他的心被它的魔力迷住了。树木和草地的香味奇妙地触动着他。以前他白天放牧羊群，晚上再把它们安全地带回羊圈。但是现在他躺在树篱下，往纸片上拼词填句。羊儿满地乱跑，狼却明白诗句难得等于羊肉白吃，于是窜出树林大胆出击，一只又一只羊羔被叼走了。

大卫的诗句越积越多，绵羊却越来越少。伊冯娜的身体日渐消瘦，脾气变大，话也越来越刻薄。她的锅盘和水壶的颜色变暗了，她的眼睛倒是闪着怒火。她对诗人抱怨说，是他不务正业，才把绵羊弄得越变越少，全家跟着遭殃。大卫雇了一个男孩来放羊，自己则关在屋顶的小房间里，更疯狂地写诗。男孩本是个诗人坯子，只是没有把诗句写出来的才华，于是成天睡大觉。狼立刻就明白作诗和做梦的实际后果一样，结果绵羊的数量稳步下降，而伊冯娜的坏脾气也因此而增长。有时她会站在院子里冲着大卫的窗口高声叫骂，声音大得连格鲁诺大叔铁匠铺上方的栗树那儿都能听见。

帕皮诺先生这个公证人是个仁慈智慧、爱管闲事的老人，他的鼻子所及之处，万事皆知，对于大卫的家事自然也看在眼里。他找到大卫，捏了一大撮鼻烟给自己打气，说道：

"我的朋友米尼奥，我在你父亲的结婚证书上盖过章。要是不得不在他儿子破产的文书上盖印，那就太让我伤心了。可是，这正是你即将面对的。作为一个老朋友，有些话我不得不说。现在，请听听我的意见。我看得出，你一心迷上了诗歌。我在德鲁克斯有一位朋友，布里先生——乔治·布里。他住的房子里除了小小的容身之处，全是书。他是个有学问的人，他每年都去巴黎，自己也出过书。他能告诉你地下墓地是什么时候建的，群星被如何命名，鹬为什么有长长的喙。对他来说，诗歌意义和形式就像你对羊的'咩咩'叫声一样了如指掌。我将写封信让你带去，把你的诗也带去，请他看看。这样你就会知道以后是该继续写诗呢，还是花精力去照管你的妻子和生计。"

"快写信吧，"大卫说，"您怎么不早说？"

第二天早晨日出时分，大卫已经在去往德鲁克斯的路上了，他的胳膊下夹着一卷宝贝诗作。中午他便到达布里先生家门口，蹭掉脚上的尘土。这位有学问的先生拆开了帕皮诺先生信上的封蜡,透过闪光的眼镜片阅读来信内容,好似阳光在汲取水分。他领大卫进了书房,让大卫坐下,他的坐席就像书籍的海水拍打着的小岛。

布里先生做事一丝不苟。面对卷得难以抚平的一指厚的手稿,他没皱一下眉头。他在膝头上展开手稿,开始阅读。他没有忽略任何细微的部分,一头扑在这堆手稿上,就像一条虫钻进坚果壳,四处寻找果仁。

这时,大卫坐在孤独无援的岛上,书的海洋里浪花飞溅,他的心在颤抖。涛声在他耳中轰鸣。没有航海图也没有罗盘来为他导航。他想,恐怕半个世界的人都在写书吧。

钻研到诗稿的最后一页,布里先生摘下眼镜,用手帕擦了擦镜片。

"我的老朋友帕皮诺身体好吗?"他问。

"好极了。"大卫说。

"米尼奥先生,你有多少只绵羊?"

"三百零九只,昨天刚数过。羊群总遇到倒霉的事。从开始的八百五十只减到现在的数目了。"

"你有妻子,有家业,生活富足。牧羊给你带来可观的收入。你每天早晨赶着羊来到原野上,呼吸着清新的空气,心满意足就是你香甜的面包。你可以尽情地投入大自然的怀抱,听着树丛中画眉的鸣唱,只需要给羊群放哨就行了。我说得对吗?"

"从前的确是这样的。"大卫说。

"我阅读了你所有的诗,"布里先生接着说,他扫过书的海洋,仿佛要从视线所及之处调出一艘帆船来,"请向那边窗外看,米尼奥先生,请告诉我你在那棵树上看到了什么?"

"我看见一只乌鸦。"大卫看了看说。

"这只鸟,"布里先生说,"能在我想要逃避责任的时候帮助我。你是知道乌鸦的,米尼奥先生,它是飞翔的哲学家。它因顺应命运而拥有快乐。它的头脑里满是奇思妙想，欢快地蹦蹦跳跳，谁也没有它吃得饱、玩得快乐。田野里的物产足够满足它的欲望。它从不因自己的羽毛比不上黄鹂的漂亮而发愁。你想必听见了大自然给它的歌喉，米尼奥先生？你觉得夜莺有哪一点比它更快乐吗，米尼奥先生？"

大卫站起身来。他听到乌鸦在树上"哑哑"地嘶声叫着。

"谢谢您，布里先生。"他慢慢说道，"难道满耳的乌鸦叫声里，就没有一声夜莺的歌喉吗？"

"如果有，我没理由听不见，"布里先生说着，叹了口气，"我一字字地读过。继续过你诗中描绘的那种生活吧，小伙子，别再写诗了。"

"谢谢您，"大卫又说了一遍，"现在我必须动身回家照看羊群了。"

"如果你愿意和我一起吃饭，"这位有学问的人说，"并且忽视它带来的伤痛，我会详细讲讲个中缘由。"

"不必了，"大卫说，"我得回家对着羊群'哑哑'叫去了。"

大卫胳膊下夹着那卷诗作，拖着沉重的脚步返回维尔诺依村。进村以后，他拐进一个名叫齐格勒的从亚美尼亚来的犹太人开的商店，这个店里，只要能弄到手的东西都卖。

"朋友，"大卫说，"我放牧在山上的羊群受到了森林里的狼骚扰。我得买枪来保护它们。你这儿有什么枪？"

"今天的生意要亏了，我的朋友米尼奥，"齐格勒说着，摊开双手，"因为看来我只能卖给你一支连原价十分之一都不到的枪。上个星期我刚从一个小贩手里买了一车他从王宫看门人那儿买来的廉价品。是一位爵爷的庄园和他的所有物品在减价出售——我不知道这个爵爷的封号——他因为密谋背叛皇上给放逐了。在这堆东西里有一些做工精良的武器。这把手枪——噢，配得上王子！我赔上十法郎，只要四十法郎就卖给你。米尼奥我的朋友。

不过，如果买一把火绳枪——"

"就买这把吧，"大卫一边说，一边把钱扔在柜台上，"装弹药了吗？"

"我这就装上，"齐格勒说，"如果你再付十法郎，就给你备用弹药。"

大卫把枪放在大衣里，走回了他的木屋——伊冯娜不在家。最近她总是到邻居家转悠。不过，厨房的炉子上还有火。大卫打开炉门，把诗篇塞到炉火上，火光腾起，诗篇在烟道里发出类似吟唱的嘶哑声音。

"乌鸦的叫声！"诗人说。

他爬到阁楼上自己的房间，关上门。村子里十分安静，以致有二十个人听到了手枪的巨响。他们聚拢过来，爬上了那个引起他们注意的冒烟的楼梯。

男人们把诗人的尸体放在他的床上，笨手笨脚地要遮盖这可怜的黑乌鸦身上破碎的羽毛。女人们七嘴八舌，尽情怜悯他人是她们的一种享受。有些女人则去通知伊冯娜。

帕皮诺先生的鼻子果然灵敏，第一批到达这儿的人中就有他。他拾起那把枪，打量着它的银质手把，神色既像鉴赏家的模样，又充满悲伤。

"纹章和顶饰表明，"他转向一边，对神甫说，"是蒙塞尼尔·博佩杜依斯侯爵的手枪。"

心灵和摩天大楼

如果你是一位哲学家,你可以做一件这样的事情:爬到一座高层建筑的顶端,从上面往三百英尺以下的地面俯瞰自己的同类,并把他们视做蝼蚁。他们就像夏日池塘水面上没有任何责任的黑色水虫子,漫无目的地爬来爬去,忙忙碌碌地转着圈子。他们甚至没有蚂蚁那种令人称赞的智慧,至少蚂蚁还知道什么时候应该回家。虽然蚂蚁地位卑微,但是,它们好歹还能每天回家,换上居家的拖鞋,而你只有继续待在你高贵的位置上。

对于站在高楼顶端的哲学家来说,人类不过是一些爬来爬去的卑微的甲壳虫。经纪人、诗人、百万富翁、擦鞋匠、美女、泥灰搬运工以及政客们,都成了小黑点,在比你的大拇指宽不了多少的街道上来来往往,摩肩接踵。

站在这么高的地方看这座城市,会发现整个城市也跟着降级了,变成了一个令人难以名状的大块物体,由扭曲的建筑物和模糊不清的远景构成。令人敬畏的海洋不过是个养鸭子的池塘,地球本身也仅仅是一个被打飞了的高尔夫球。生活中的所有琐碎之事全都消失不见了。哲学家抬头仰望头顶上无穷的宇宙,在全新的视野下,自己的内心也随之膨胀了,觉得自己成了永恒的子嗣,时间的爱子。凭借着这永远的继承权,太空当然属于他了。一想到有一天,他的同类将穿过这些神秘的天路,在行星之间旅行，他就激动不已。他脚下的钢筋水泥建筑物和这个渺小的世界比起来，就像是喜马拉雅山上的一粒沙尘——而世界不过是无数个高速运转的原子中的一个。与这静谧的、渺无边际的宇宙相比，那些在琐碎的城市中忙忙碌碌的小虫子，他们所谓的雄心壮志、功名利禄，以及不足挂齿的胜利和爱情，又算得了什么呢？

哲学家有这样的想法，那简直是一定的。这种想法是根据世界哲学家们的思想汇编起来的，他们还会在最后恰当地以一个问号结尾，向人们显示那些站在高处的、深沉的思想家一刻也不会停止思考。当哲学家乘坐电梯从高楼上下来的时候，他的思想也跟着越发开阔了，心绪也变得平静了，他关于宇宙进化论的概念一直延伸到了夏季猎户星座腰带上的搭扣。

不过，如果恰好你是一个名叫戴西的女孩，今年十九岁，在第八大道的糖果店上班，住在一间位于阴冷走廊上，八英尺长、五英尺宽的小房子里，每周挣六美元，中午吃一毛钱一份的午餐，早晨六点半就得起床，晚上九点才下班，从来没有研究过什么哲理，那么，换做你站在摩天大楼顶端观察，看到的可就是另外一番景象了。

有两个年轻人都在追求戴西——就是这个非哲学派的女孩，想让戴西对他们产生好感。一位叫乔，在纽约开了一家最小的商店，店面与市政工程局的工具箱差不多大，位于商业区一座摩天大楼的一个拐角处，看起来好像是筑在大楼上的一个燕子窝。店里只卖水果、糖、报纸、歌曲集、香烟和当季的柠檬水。当冬季刺骨的寒风吹拂着他冰冻的发卷时，乔就不得不把水果摊连同自己一起都挪进屋子里去。这个小空间里恰好能装得下店主、店主的商品、一个醋瓶大小的炉子，以及一位顾客。

乔不是那种永远能让我们对赋格曲和水果狂热的人。他是一位能干的小伙子，稍微存了一点钱，就想让戴西帮他花掉。他已经邀请过她三次了。

"我有点积蓄了，戴西。"这就算是他的爱情歌曲了，"你知道，我是多么想要和你在一起。虽然我那家小店不是很大，不过……"

"哦，不大吗？"非哲学派的姑娘回答道，"为什么这么说啊，我可是听说沃纳梅克正绞尽脑汁要你明年把一部分店面租给他呢。"

每天早晚上下班时，戴西都要经过乔的商店所在的街道拐角。

"嗨，你好啊，小不点！"她一贯这样冲他打招呼，"你的店看起来好像有些空了。你一定是卖了一包口香糖吧。"

"呵呵，我这里是不够大。"乔总是咧嘴一笑，不慌不忙地回答道，"戴西，除了你之外，我这里什么都容不下了。我和我的商店一直在这等着你呢，欢迎你随时接纳我们。你应该不会让我们等太久吧？"

"商店？"戴西从鼻子里轻蔑地哼出一个词，"不过就是个盛沙丁鱼的罐头！你说你们在等我？天哪，那恐怕得要你扔出一百磅糖果来，我才能跟你走啊，乔！"

"我不介意做那样公平的交换。"乔讨好地说。

戴西的生存处处受到限制。她不得不在糖果店的柜台和货架之间侧着身子来回穿梭。在她自己租的屋子里，如果说还有什么可以称为舒服的话，那就是根本不用迈开步子。墙壁之间的相对距离是如此的近，以至于墙上贴的报纸看起来就像是一座喧闹的通天塔。她可以一只手点煤气灯，另一只手关门，同时还可以看到镜子里自己高耸着的棕色马尾。她有一张乔的照片，放在梳妆台上的镀金相框里，有时候——但是，她转念一想，仿佛就看到了乔那间狭小、滑稽的商店，就像是高楼拐角处放着的一个肥皂盒，这个时候，她的感情马上烟消云散，取而代之的是一阵笑声。

继乔之后几个月，追求戴西的另一个人出现了。他是在去戴西住的那所公寓找房子的时候认识她的。他叫达布斯特，是一个哲学家。尽管年纪轻轻，但他在学术上的深厚造诣却一望可知，就像是帕塞伊克制造的手提箱上的标签一样引人瞩目。他从百科全书和实用手册上获取有用的知识。不过，要论他的智慧的话，每当她经过他身边，他甚至连她坐的车的车牌号都搞不清楚，只知道站在马路边吸鼻子。但是，他能告诉你，做豌豆炖牛肉的时候，水和牛肉的比例应该是多少，顺便还告诉你这个菜有助于肌肉生长；他知道《圣经》里哪一首诗最短；他清楚多少磅钉子可以固定二百五十六块防雨面板；他晓得伊利诺伊州的茨卡基的人口有多少；他懂得斯宾诺莎的理论；他还知道麦凯·通布利先生在客厅当差的第二个仆人叫什么名字；胡萨克隧道有多长；母鸡什么时候孵蛋最佳；他也清楚宾州浮木站和红岸火炉站之间的铁路邮局邮递员的薪水有多少，猫的前腿有几根骨头，等等。

对达布斯特来说，丰富的学识完全不是负担。他用丰富的数据资料作为装点他语言盛宴的香芹嫩叶，如果他发现这合你的胃口，他就会把这些装盘，送到你的面前。这还不算，就连在寄宿公寓用餐的时候，他都会时不时地拿这些数据做防护墙。他会用数据的炮火轰击你，诸如一英尺长、五英寸宽、二又四分之三英寸高的条形铁有多重，明尼苏达州斯内特堡的年降雨量是多少等等之类的问题。当你还没完全回过神，正要弱弱地问他为什么母鸡要穿过马路的时候，盘子里最好的一块鸡肉已经被他的叉子叉住了。

进而，这个身手不错的家伙想用英俊的外貌武装自己，把自己搞得油头粉面，因而常常在下午三点到商业区购物。这么看来，这个微型店铺的主人乔，似乎有了一个强劲的情敌，值得他剑拔弩张了。可是，乔没什么宝剑强弓。就算有，就他那么点的小店铺，也没有足够的空间让他在那里舞剑拉弓。

一个星期六的下午，大约四点钟的时候，戴西和达布斯特在乔的小摊前面停了下来。达布斯特戴着一顶丝绸帽,还有——嗯,戴西是个女人,因此,在见到乔之前,这顶帽子是没有机会回到它的盒子里了。他们之所以在这里停下来,貌似只是为了买一包凤梨口味的口香糖。乔通过橱窗口把口香糖递了出去。看到那顶丝绸帽后,乔既没有觉得卑微渺小,也没有变得结结巴巴。

"达布斯特先生正要带我到大楼顶上去看风景呢,"在分别为他们做了介绍后,戴西说,"我还从来没有去过摩天大楼的楼顶。我想上面一定很漂亮,很好玩。"

"是啊!"乔附和道。

"从大厦顶楼上看,"达布斯特说,"所有景象都一览无余,不仅庄严壮观,而且很有教育意义。戴西小姐一定会获得所有你想要得到的快乐。"

"但是,上面风还很大呢,跟这里不一样。"乔说,"戴西,你穿得足够暖和吗?"

"那当然!我已经全副武装啦。"戴西一边回答他,一边对着他紧蹙的双眉顽皮地笑了笑,"乔,你看起来像是装在盒子里的木乃伊。你不是正在给一品脱花生或是苹果什么的开发票吗?你的库存看起来相当多。"

戴西开着她最喜欢开的玩笑,"咯咯咯"地笑着,乔不得不跟着她一起笑。

"你这个地方确实是有点狭窄,呃——呃——先生,"达布斯特评论道,"跟这座大楼的尺寸比起来。据我所知,这座大楼有三百四十英尺长,一百英尺宽。按比例来算,你的小店与整座大楼相比,就好像是半个俾路支斯坦的面积与美国落基山脉以东的广袤地区,再加上安大略省和比利时的面积相比。"

"是这样啊,老兄?"乔和颜悦色地回敬道,"你自以为很擅长数字,是吧?那好啊,请你算一下,如果一头驴子在一又八分之五分钟里停止叫唤,它能吃掉多少磅干草呢?"

几分钟之后,戴西和达布斯特先生从电梯里走了出来,来到这幢高楼的顶层。接着,他们爬了一段短短的、陡峭的楼梯,就到了楼顶。达布斯特引着戴西来到栏杆前,以便让她看到底下地面上移动的小黑点。

"它们是什么啊?"她浑身颤抖地问道——她以前从来没有到过这么高的地方。

这个时候,达布斯特就必须要扮演顶楼哲学家的身份了,以把她的心灵引向那浩瀚无垠的宇宙。

"两足动物。"他神情严肃地说,"看看他们变成了什么。这不过是从海拔三百四十英尺的高处往下看,他们就变成了一群漫无目的、来回游荡的蝼蚁。"

"噢,他们才不是你说的那样,"突然,戴西大声叫嚷起来——"他们都是人!我看见一辆汽车了。哦,天!我们到的地方有这么高吗?"

"往这边走。"达布斯特说。

他指给她看他们脚下的这个大城市,远远望下去就像是一个排列有序的玩具。尽管现在还早,可是,在这个冬日的下午,有的地方已经率先亮起了灯,七零八落,到处都像星星一样在闪烁。再往远点看,东南方向的港湾和海洋已经消失在空中,和天融为一体,蔚为奇观。

"我不喜欢,"戴西叫道,蓝色的双眸里充满困惑,"我说我们还是下去吧。"

但是,这位哲学家是不会放弃这近在眼前的好机会的。他要让她知道他的思维是多么宽广,他对数字的记忆是多么准确,他对无限空间的精髓了解得是多么透彻。这样的话,她将再也不会满足于在纽约最小的店铺买口香糖了。于是,他开始滔滔不绝地对她说,人世间的凡尘琐事是多么渺小,只是像现在这样稍稍离开地面一点,就让人类和他们创造出来的事物,变得竟然跟三十分之一块硬币差不多大。因此，人们应该想想恒星星系，思考思考埃皮克提图的名言，并从中得到慰藉。

"我跟不上你的思维。"戴西说，"老实说，我觉得太可怕了。从这么高的地方看人，觉得他们看起来像跳蚤一样。那么多人中，我们看见的其中一个可能就是乔。哎呀，老天！我还以为跟在新泽西一样好呢！老实说，我很害怕待在这里！"

哲学家不以为然地笑了笑。

"在宇宙中，"他说，"地球本身也不过是一粒小小的麦子。抬头往上看！"

戴西抬起头向上看，神情十分紧张。短暂的一天已经过去，星星出现在夜空中。

"远处的那颗星星，"达布斯特说，"就是金星，也就是俗称的长庚星。距离太阳有六千六百万英里。"

"瞎扯！"戴西精神稍微一振道，"你认为我来自哪里——布鲁克林吗？我们店里的苏西·普莱斯——她哥哥给了她一张去旧金山的票——那才三千英里。"

哲学家听了，宽容地笑了笑。

"我们这个地球，"他说，"距离太阳有九千一百万英里。宇宙中第一等级的星星有十八颗，它们与太阳的距离是我们与太阳距离的二十万一千一百倍。如果其中有一颗恒星毁灭了，要经过三年时间，我们才能看到它的光线消失。第六等级的星星有六千颗，它们的光线抵达地球需要三十六年的时间。通过一架直径十八英尺的望远镜，我们能看到四千三百万颗星星，其中包括第十三等级的星星，它们的光线要走两千七百年才能到达地球。这每一颗星星——"

"你撒谎！"戴西生气地哭喊起来，"你想用这些吓唬我。好吧，你的目的实现了。我想下去了！"

她跺着脚。

"大角星……"哲学家安慰她道,但就在这时,他的讲话被广阔无垠的自然界打断了。他只不过是想努力地用自己的记忆力,而并非自己的真心来诠释这个广阔无垠的自然界。然而,对于用心诠释自然界的人来说,星星在夜空中闪烁,它们那柔和的光线是献给那些在星光下幸福漫步的情侣的。如果你在九月的夜晚,挽着心上人的胳膊,就会觉得那些星星触手可及,只要一踮脚就可以摸到。它们的光线怎么可能要花三年才能到地球呢?纯属瞎说!

天空的西边划过一颗流星,这座摩天大楼的顶层被照得如同白昼一般。那道闪亮火红的抛物线划过天际,朝东方飞去,一边飞,一边发出"嘶嘶"的响声。戴西尖叫起来。

"带我下去。"她情绪激烈地哭喊着,"你——你这个数字狂!"

达布斯特带她走到电梯间,进入电梯。她恐慌地睁大双眼,从电梯快速下降直至缓慢停下,她一直在发抖。

一出摩天大楼的旋转门,哲学家就弄丢了她。她突然不见了,留下他不知所措地站着,任何数据或者统计资料都帮不上他了。

这会儿,乔的生意不忙。他把货物腾挪一番后,终于成功地腾了点地方出来。他把一只冰冷的脚放到逐渐冷却的炉子上,点了一支香烟。

突然,门被猛地推开了。戴西边哭边笑,跌撞着扑进他的怀里,把水果糖撞得满地都是。

"噢,乔,我已经去过摩天大楼了。这里才是温暖舒适的家,不是吗!乔,我已经准备好了,随时等着你迎娶我。"

哈格雷夫斯的骗局

墨比尔市的彭德尔顿·塔尔博特少校先生和他的女儿莉迪亚·塔尔博特小姐来到华盛顿后,住在一条最宁静的大街后面五十码左右的一所公寓里。这是一栋古老的砖房,高高的白色柱子撑起一道门廊。院子里,洋槐和榆树绿荫掩映,显得非常气派,还有一株正值开花时节的梓树,在草地上洒下无数粉红和白色的花瓣。篱笆和小路两边是成排的杨树丛。正是此地典型的南方风格,塔尔博特父女一眼就看中了它。

他们在这所舒适而僻静的公寓里租了几个房间,其中一间用做塔尔博特少校的书房,他正准备写完《阿拉巴马军队、法官和律师团的轶事与回忆录》一书的最后几章。

塔尔博特少校热爱古老的南方。在他看来,现在的一切都很乏味,毫无可取之处。他的记忆一直停留在内战之前的那段时期,当时,塔尔博特家拥有数千英亩上等的棉花田,全都由奴隶们耕种。庄园里经常举办奢华的宴会,客人们都是南方的贵族。他也因此保留着那个时代的一切:昔日的骄傲、对荣誉的顾虑、陈旧冗杂的礼节以及(你能想到的)那个时代的服饰。

这些服装无疑是五十年前的款式。少校个子很高。但每当他行那种奇妙而古老的屈膝礼时(也就是他所说的鞠一个躬),他的长礼服的下摆就会擦到地上。虽然华盛顿的人们早已不再嘲笑南方议员的长礼服和宽边礼帽，但看到这样的服装仍不免会感到吃惊。公寓里的一个房客把它叫做"笋瓜神父"，因为它确实腰部太高，下摆太宽。

不过，在对房客十分挑剔的瓦德曼太太的公寓里，尽管少校穿着奇装异服，衬衫胸部有大块的褶皱，黑色的小蝶形领结总是滑到一旁，大家仍然对他笑脸相迎，十分喜欢他。几个年轻的职员常常"戏弄他"，逗他说起他最喜欢的话题——他热爱的南方传统和历史。讲述时，他经常直接引用《轶事与回忆录》中的内容。但是，他们都非常小心，尽量不露出破绽，因为少校虽然已经六十八岁了，但如果他那双敏锐的灰色眼睛一直死死地盯着你看，就算是最大胆的人也会感到浑身不自在。

莉迪亚小姐是个有点胖的小个子姑娘，今年三十五岁，光滑的发髻紧紧地挽在脑后，显得十分老成。她也是个老式人物，但却不像她父亲那样经常流露出对往日荣耀的自豪。她很节俭，家里的花销都由她来管理，收账的人来了也是由她负责接待。在少校眼里，食宿费和洗衣费的账单十分令人讨厌，因为它们好像总是没完没了。少校想知道，为什么就不能把它们存到一起，等到方便的时候一次付清？比如说，等到《轶事与回忆录》出版了，拿到稿费的时候。莉迪亚小姐总是一边平静地做着针线活，一边说："一有钱我们就把账付了，这样等没钱的时候，他们就能宽容些。"

白天，瓦德曼太太公寓里的很多房客都不在家，他们都是些职员和商人，但有一个人却从早到晚地待在公寓里。这个年轻人叫做亨利·霍普金斯·哈格雷夫斯——公寓里的每个人都以全名称呼他，他在一家很受欢迎的歌舞剧院里工作。近几年来，轻歌舞剧的地位日渐上升，备受人们关注，而哈格雷夫斯先生又是如此谦逊有礼，因此，瓦德曼太太自然没有理由拒绝把他加入房客的名单。

在剧院里，哈格雷夫斯是以能说各种方言而出名的喜剧演员，擅长扮演德国人、爱尔兰人、瑞典人和黑人。哈格雷夫斯雄心勃勃，时常提起他一心想在正统喜剧中大获成功。

这个年轻人好像特别喜欢塔尔博特少校。只要老绅士一讲起有关南方的回忆，或是重复某些最生动的往事时，哈格雷夫斯总是听得津津有味。

少校曾经尝试过不去理会这个"小丑"（他私底下这样叫他）的主动接近，但不久，这个年轻人和蔼可亲的举止及对老绅士的故事坚信不移的欣赏就完全赢得了他的心。

没过多久，他们两人就好像是老朋友了。少校特意空出每天下午的时间把自己的书稿念给他听。讲到轶事的时候，哈格雷夫斯总会在适当的时候开怀大笑，少校对此颇为感动。有一天，他对莉迪亚小姐说，年轻的哈格雷夫斯对旧体制有着非凡的理解力和令人感动的尊重，而且每当谈起那些往事——只要塔尔博特少校愿意说下去，哈格雷夫斯先生准会听得如痴如醉。

如同所有谈起往事的老年人一样，少校总爱唠叨一些细枝末节。在描述老庄园主那些辉煌甚至是无与伦比的往事时，他总是踌躇片刻，直到想起为他牵过马的黑人的名字，或是一些微不足道的小事的准确日期，或是这一年里收获的棉花的包数，但哈格雷夫斯从不因此而不耐烦或是失去兴趣。相反的，他总能就与那段时期的生活相关的不同话题提出一些问题，当然也总能得到及时的回答。

追猎狐狸，负鼠晚餐，黑人居住区的舞会和民歌，方圆五十英里的客人都受到邀请的庄园大厅里的宴会；与附近地区的贵族偶尔的争斗；为了基蒂·查尔默斯，少校和拉斯伯恩·卡伯特森进行的一场决斗，而基蒂后来嫁给了南卡罗莱纳州一个名叫恩韦特的人；耗费巨资在墨尔比湾举办的私人游艇比赛；老奴们奇特的信仰，只顾眼前的习惯和忠诚的美德——所有这些话题每次都能让少校和哈格雷夫斯兴致盎然地聊上几个小时。

有时，年轻人晚上的表演结束以后，正准备回到楼上的房间时，少校突然出现在自己书房门口，神情诡异地招呼他进去。每次一走进去，哈格雷夫斯就会看到一张小桌子，上面已经摆上了一只细颈酒瓶，一个糖碗，一些水果以及一大束新鲜的薄荷叶。

"我想，"少校总是这样开场——他总是彬彬有礼的——"也许你会觉得你的工作——就你的职业而言——十分辛苦，这足以让你，哈格雷夫斯先生，懂得欣赏诗人在写下'疲惫的自然甜美的解乏剂'这句诗时脑海里所浮现的东西——那就是我们南方特有的冰镇薄荷酒。"

看着少校调酒也会令哈格雷夫斯心醉神迷。少校总是有条不紊地做完每一步，其手法能与任何艺术家媲美。他小心地捣碎薄荷叶，精确地估计着每种成分的份量，非常小心地在混合物中加入鲜红色的水果，与边沿处深绿色的酒相互辉映。然后，他把挑选好的麦秆吸管插进丁当作响的酒杯深处，优雅殷勤地递给客人。

在华盛顿待了四个多月后，一天早上，莉迪亚小姐发现他们的钱几乎都用光了。少校的著作《轶事与回忆录》已经写完了，但出版商并没有欣然接受这部汇集了阿拉巴马州的见识和智慧的珍品。他们在墨比尔市依旧留着的小房子已经欠了两个月的租金。再过三天又要交这个月的食宿费了。莉迪亚小姐只能找父亲商量此事。

"没钱了？"他吃惊地说，"总是因这些小数目受到打扰真是令人烦心。真的，我——"

少校在口袋里摸了摸，只找到一张两美元的钞票，于是又把它放回上衣口袋里。

"我得立刻处理这件事，莉迪亚，"他说，"把雨伞递给我，我要立刻到城里去一趟。从我们那儿来的议员富勒姆将军前些日子曾向我保证，他要用他的影响力促使我的书能够早日出版。我这就去他住的旅馆看一看情况怎么样。"

莉迪亚小姐露出一丝忧伤的笑容，看着父亲扣好他的"笋瓜神父"大衣离开，走到门口的时候，他像往常那样停了一下，深深地鞠了个躬。

当天晚上天黑的时候，他回来了。富勒姆议员似乎已经见过了那个正在审阅少校书稿的出版商。那人说如果能把书中的轶事之类的细节认真删减一半，去掉从头到尾渲染的地区和阶级偏见，那么他就愿意考虑出版。

少校气得脸色发白，可是，当他出现在莉迪亚小姐面前的时候，为了遵守一贯的行事准则，他又恢复了以往的镇定。

"我们一定得想办法弄些钱来，"莉迪亚小姐说着，鼻子上方稍微皱了一下，"快把那两元钱给我，我今晚就给拉尔夫叔叔发一封电报，找他借一点。"

少校从上衣口袋里掏出一个小信封，扔到桌子上。

"或许我这样做有些不合适，"他温和地说，"不过这笔钱实在是有点微不足道，所以我用它买了今晚的戏票。这是一部新上演的战争剧，莉迪亚，我想你会很高兴看到它在华盛顿的首次演出。听说戏里南方人有不俗的表现。我得承认是我自己非常想去看看这场表演。"

莉迪亚小姐没有出声，只是有点失望地摊了摊手。

不过，既然票都已经买了，总要把它用掉。于是，那天晚上，当他们坐在剧院里聆听欢快的序曲时，就连莉迪亚小姐也暂时把他们的烦恼放在了第二位。少校穿着洁白的亚麻布衬衫，与众不同的外套扣得严严实实，一头白发向两边梳得整齐光洁，看上去确实显得优雅高贵。幕布缓缓升了上去，《一朵木兰花》的第一幕开始了，舞台的背景是典型的南方种植园。塔尔博特少校顿时来了兴致。

"啊，您瞧！"莉迪亚小姐的手肘轻轻碰了碰他的胳膊，指着手里的节目单叫出了声。

少校戴上眼镜,看着她手指指着的演员表中的一行。

韦伯斯特·卡尔霍恩上校……亨利·霍普金斯·哈格雷夫斯。

"是我们认识的哈格雷夫斯先生,"莉迪亚小姐说,"这一定是他第一次参与他所说的'正统剧'的表演。我真替他高兴。"

直到第二幕,韦伯斯特·卡尔霍恩上校才上场。他一出现,塔尔博特少校就狠狠地吸了一口气,呆呆地瞪着他,整个人像是被冻住了。莉迪亚小姐发出一声微弱含糊的叫声,把手里的节目单给揉皱了。原来,卡尔霍恩上校打扮得简直跟塔尔博特少校一模一样。长长的稀疏的白发在发梢处卷起,贵族式的鹰钩鼻,宽大的有褶皱的衬衫前胸,蝶形领结快要歪到一边的耳朵下面,这一切简直模仿得分毫不差。此外,为了模仿得更加惟妙惟肖,他还穿上了一件与少校那件独一无二的长大衣简直一模一样的衣服:高领,肥大,束腰,宽下摆,前片比后片短出一英尺,完全是照着少校衣服的样式做出来的。从那时起,少校和莉迪亚小姐就瞠目结舌地坐在那儿,看着假冒的傲慢的塔尔博特正如少校后来所说的那样,"在堕落的舞台、诽谤的泥潭中拖着沉重的步子走过来走过去"。

哈格雷夫斯先生很好地把握住了他的机会。他紧紧抓住少校的语言、口音、声调和自命不凡的仪态中细微的特质,把它们表现得栩栩如生——为了达到舞台效果,他还进行了夸张。当他演到那绝妙的鞠躬时——少校一直自诩这是一切场合中最完美的礼仪——观众席上顿时爆发出一阵雷鸣般的掌声。

莉迪亚小姐纹丝不动地坐在那儿,不敢看她的父亲一眼。有时,她靠近父亲的那只手会挡住脸颊,仿佛想掩饰自己无法抑制的笑,虽然她知道自己不该这样。

哈格雷夫斯大胆的模仿在第三幕中达到了高潮。场景是卡尔霍恩上校在他的"书房"里款待几个附近的种植园主。

他站在舞台中间的一张桌子旁,他的朋友们围绕着他。他一边熟练地为客人们调制冰镇薄荷酒,一边发表着独一无二、漫无边际的独白——这段独白在《一朵木兰花》这部剧里是如此著名。

塔尔博特少校一言不发地坐着,听着他最精彩的故事被人复述着,他最得意的理论和爱好被人发挥着,《轶事与回忆录》中的梦想被人公开、夸大以致歪曲,气得脸色发白。他最钟爱的那段叙述——就是他与拉斯伯恩·卡伯特森决斗的那一段——也没有被遗漏,甚至比他本人的讲述更加满怀激情,更加自以为是。

独白以一段离奇有趣、诙谐机智的简短演说收尾,内容是有关调制冰镇薄荷酒的艺术,还配上了动作演示。塔尔博特少校精巧但却显得有点卖弄的调酒技巧,在这里得到了最绝妙的再现——从他对芳香的薄荷考究的处理——"只要多用了千分之一格令的力气,先生们,你从这上天赐予的植物中榨出来的将会是苦味而不是香味了"——到他异常小心地挑选麦秆吸管。

这一幕刚一结束,观众席上爆发出一阵热烈的欢呼声。对这个典型人物的表现是如此准确,深入,令人信服,以至于剧中的主角们都被人们给忽略了。在观众一再地要求下,哈格雷夫斯走到幕前,鞠了一个躬,略显稚气的脸上流露出成功的喜悦和激动。

莉迪亚小姐终于转过头来看了看少校。他窄窄的鼻孔如同鱼鳃一样抽动着。他那双颤抖的手握在椅子的扶手上,想要站起来。

"我们该走了,莉迪亚,"他声音哽咽地说,"这根本就是奇耻大辱。"

他还没站起身,她就又把他拉回到座位上。

"我们必须坚持到最后，"她认真地说，"难道您想展示一下您的大衣为他的模仿做宣传吗？"于是，他们一直待到演出结束。

哈格雷夫斯的成功无疑让他那天晚上兴奋得难以入眠，因为第二天的早餐和午餐时间都没有见到他的影子。

大概下午三点钟左右，他敲了敲塔尔博特少校书房的门。少校打开门，哈格雷夫斯捧着一沓早报走了进去——脸上满是成功的喜悦，丝毫没有注意到少校的举止有何异常。

"昨天晚上我成功了，少校，"他得意地说，"我的机会终于到来了，而且我还获得了巨大的成功。《邮报》上是这么说的：

'他对于旧时期南方上校这一角色的把握，经由他可笑的夸张，怪异的服装，古怪的词汇，不合时宜的家族自豪感，善良仁慈的心地，过分讲究的荣誉感和可爱的直率一览无余，堪称当今舞台上对于人物角色刻画的经典。卡尔霍恩上校的那件大衣原本就是个奇迹。哈格雷夫斯先生已经获得了无数观众的青睐。'"

"少校，您觉得对于初次上演的夜场，这个点评听起来怎么样？"

"昨晚，我有幸"——少校的声音听起来很冷淡——"亲眼目睹了你不同一般的表演，先生！"

哈格雷夫斯显得有些局促不安。

"您在那儿？我不知道您还——我没想到您还会去剧院。哦，我是说，塔尔博特少校，"他坦白地说，"您千万不要生气。我承认我的确从您那儿获得了很多启示，它们帮助我成功地塑造了我的角色。但那只不过是个典范，您知道的——而不是具体的某一个人。观众的热烈反响就说明了这一点。那家剧院的半数观众都是南方人，他们肯定了这一角色。"

"哈格雷夫斯先生，"少校仍旧站在那儿说道，"你对我的侮辱是不可饶恕的。你讽刺了我本人，完全辜负了我对你的信任，还利用了我的热情好客。要是过去我知道你根本不了解一个绅士的尊严意味着什么，或者应该是怎么样的，那么先生，虽然我老了，我还是会和你决斗。请你立刻离开这个房间，先生。"

这位演员有点不知所措，似乎还没完全理解这位老绅士所说的话。

"我很抱歉使您生气了，"他满怀歉意地说，"我们这里看待事物的方式和你们那儿的人不太一样。我还听说过，有的人为了能够把自己的形象搬上舞台，得到观众的认可，宁愿变卖掉一半的家产。"

"可他们不是阿拉巴马人，先生。"少校高傲地说。

"也许是这样。我的记性很好，先生，就让我引用您书中的几句话吧。在一次宴会上答祝酒辞时——我想那是在米利齐维尔——您说过这些话，还打算把它们打印出来：

"'北方人毫无感情或是热情可言，除非感情能够给他带来商业利润。对于任何损害他自己或是他所爱的人的名誉的诋毁，只要不致造成钱财的损失，他都将毫无怨言地忍受下来。在慈善事业方面，他出手大方；但前提是得有人大张旗鼓地为他宣传，还要把他的事迹刻在铜匾上以作纪念。'

"您认为这番描绘会比您昨晚看到的卡尔霍恩上校的形象更加公正一些吗？"

"这段描写，"少校皱着眉头说，"不是没有根据的。公开演说应该允许有一定的夸张——一定的自由发挥的空间。"

"公开演出时也是如此。"哈格雷夫斯答道。

"问题的关键并不在这儿，"少校丝毫不愿妥协，坚持道，"这是对于我本人的拙劣模仿和讽刺。我决不能坐视不管，先生！"

"塔尔博特少校，"哈格雷夫斯带着笑容说道，"我希望您能谅解我。我希望您明白我从没想过要侮辱您。对我的职业来说，一切的生活都属于我。我竭尽全力地从中选取我所需要的，然后在舞台上把它们重现出来。现在，如果您愿意，我们就说到这儿吧。我来探望您是为了别的事情。这几个月里我们一直是很好的朋友，现在我又要再次冒着惹您生气的危险了。我知道您现在缺钱用——先别管我是怎么知道的，这种事情在公寓楼里是很难保密的——我希望您能允许我帮助您渡过难关。我自己也经常遇到这种情况。这段时间我的收入还算可以，也存了不少钱。我很愿意借您二百元——或是更多——直到您拿到——"

"住嘴！"少校手臂一挥，勒令道，"看来我的书上确实没有说错。你以为你的金钱药膏就能治愈所有荣誉受损的伤口。无论如何我是不会接受一个泛泛之交的借款的。至于你，先生，我宁愿饿死，也不会考虑你为了缓和我们刚才的争吵而提出的带有侮辱性的经济补偿。我再次要求你离开这个房间。"

哈格雷夫斯没有再说什么，离开了屋子。当天他就离开了公寓，瓦德曼太太在晚餐桌旁解释道，他已经搬到市区剧院附近的地方去了，《一朵木兰花》将要在那儿上演一个星期。

塔尔博特少校和莉迪亚小姐的处境变得非常危急。少校的犹豫不决使他在华盛顿找不到能够借款的人。莉迪亚小姐给拉尔夫叔叔写了一封信，但这位亲戚手头也不宽裕，是否能够提供帮助还很难说。少校不得不为拖欠的食宿费向瓦德曼太太表示歉意，含糊其辞地说是"别人拖欠了房租"和"汇款还没收到"。

摆脱困境源于一个完全出乎意料的途径。

一天下午，天色已晚，看门的女仆上来报告说有个老黑人想见塔尔博特少校。少校叫她把客人领到书房里。不久，一个年老的黑人出现在了门口，他手里拿着一顶帽子，鞠了个躬，一只脚还笨拙地摩擦着地板。他身穿十分体面的宽大的黑色套装。一双粗糙的大皮鞋闪着金属般的光泽，就像是在暖房里擦亮的。浓密的头发已经变得灰白——应该是几乎全白了。黑人一旦过了中年，就难以推算出他的年纪了。这个人经历的岁月或许就和塔尔博特少校差不多。

"您一定认不得我了,彭德尔顿老爷。"这是他说的第一句话。

听到这种熟悉的老式问候,少校站起身来走过去。毫无疑问,这一定是以前种植园里的一个黑人。但他们早已各奔东西,他已记不起他的声音或是模样了。

"我想我确实不记得了,"他温和地说,"除非你能帮我回忆一下。"

"那您还记得辛迪家的摩斯吗,彭德尔顿老爷,就是战争刚一结束就搬走的那个?"

"等等,"少校用指尖揉了揉额头,说道。他喜欢回想那些美好的关于往昔的一切事情。"辛迪家的摩斯,"他回忆着,"你在马群里干活——驯服小马。是的,我想起来了。南方投降后,你换了个名字——别提醒我——叫米切尔,还去了西部——到内布拉斯加州去了。"

"没错先生,没错先生,"老人的脸上露出欣喜的笑容,"是这样,是在那儿,内布拉斯加州。就是我——摩斯·米切尔。摩斯·米切尔大叔,现在他们都这样叫我。老老爷,就是您的父亲,在我离开的时候给了我一对小骡子,让我带上。您还记得那对小骡子吗,彭德尔顿老爷?"

"我好像记不起来了,"少校说,"你知道战争刚开始的头一年我就结了婚,住到老弗林斯比那儿去了。但是,你就坐下吧,坐下吧,摩斯大叔。我真高兴能够见到你。希望你已经发了财。"

摩斯大叔在椅子上坐了下来,小心翼翼地把帽子放在旁边的地板上。

"是的先生,我一向干得还不赖。我刚到内布拉斯加时,那儿的人都跑来看我的那对小骡子。他们在内布拉斯加从没见过那样的骡子。我把骡子卖了三百元。是的先生,整整三百元。"

"后来我便开了家铁匠铺,没多久就赚到了钱,买了地。我和妻子生了七个孩子,有两个死了,其余的都生活得不错。四年前有一条铁路修过来,要在挨着我的那块土地上兴建一个城镇,嘿,彭德尔顿老爷,摩斯大叔便一下子拥有了上万美元的现金、财产以及土地。"

"听到这些真令人高兴,"少校由衷地说,"太让人高兴啦。"

"您的那位小宝贝呢,彭德尔顿老爷——就是您叫她莉迪小姐的——那小丫头一定出落得令人认不出来了吧。"

少校走到门边呼唤道:"莉迪亚,亲爱的,你能过来一下吗?"

莉迪亚小姐从她的房间里走出来,看上去确实是长大成人了,但却有些焦虑的样子。

"您瞧!我是怎么跟您说的来着?我就知道这孩子已经完全长大成人了。你难道不记得摩斯大叔了吗,孩子?"

"这位是辛迪婶婶家的摩斯,莉迪亚,"少校解释说,"他离开桑尼米德去西部的时候,你才刚刚两岁。"

"哦,"莉迪亚说,"在那个年龄,我恐怕很难记起您,摩斯大叔。就像您说的那样,我已经'完全长大成人了',很久以前还是一个很幸福的人。不过,虽然我不记得您了,但我还是很高兴能再次见到您。"

她的确很高兴。少校也一样。有些活生生的、实实在在的东西把他们和幸福的过去联系起来了。三个人坐下来谈论着逝去的时光,少校和摩斯大叔回顾着种植园里的情景连同那些日子,相互纠正、提醒着对方。

少校问老人这么大老远从家里跑过来干什么。

"摩斯大叔是一个虔诚的教徒,"老人解释说,"赶来参加这个城市盛大的洗礼大会。我从未做过祷告,但在那个地区的教会里还算是个长老,而且还能支付起开销,他们于是就派我来了。"

"您是怎么知道我们住在华盛顿的?"莉迪亚小姐问道。

"有个黑人就在我住的旅馆里做工,他也是从墨比尔过来的。他告诉我,有天早上他看见彭德尔顿老爷从这座公寓里出来。"

"我到这里来,"摩斯大叔把手伸进口袋里,接着说,"除了来看望家乡的人——还要一并把我欠彭德尔顿老爷的钱还清了。"

"欠我的?"少校吃惊地说。

"是的先生,三百元。"他将一卷钞票递给少校,"我离开时,老老爷对我说:'把这对小骡子也带走吧,摩斯,等你以后有钱了再还给我。'是的先生——他就是这么说的。战争让老老爷不幸离开了我们。老老爷已去世多年,这笔账就该转到彭德尔顿老爷这里了。三百元。摩斯大叔现在终于有能力还款了。当年铁路公司买我的土地时,我就留出这笔钱准备还债了。您数一数吧,彭德尔顿老爷。这是我卖掉骡子的钱。是的先生!"

泪水涌进了塔尔博特少校的眼眶。他抓起摩斯大叔的手,另一只手则放在他的肩膀上。

"亲爱的、忠诚的老仆人,"他声音颤抖着说,"不瞒你说,'彭德尔顿老爷'在一星期之前就已经花光了他在人间的最后一分钱。我们会收下这笔钱的,摩斯大叔,一方面算是还债,另一方面也算是作为对旧制度的忠诚和热爱的纪念。莉迪亚,亲爱的,快把钱收下吧。你比我更加适合管理它的开销。"

"快收下吧,孩子,"摩斯大叔说,"它是属于你们的。这是塔尔博特家的钱。"

摩斯大叔离开以后,莉迪亚小姐痛痛快快地哭了一场——因为高兴而哭,少校也把脸转向墙角,使劲地抽着他的陶土烟斗。

接下来的几天里,塔尔博特一家又恢复了以往的平静和舒适。莉迪亚小姐的脸上再也没有焦虑的神色。少校也穿上了一件崭新的长大衣,使他看上去仿佛是一尊缅怀着他的黄金时代的蜡像。另一位出版商读过了《轶事与回忆录》的手稿,认为只要稍加润色，再把最精彩的部分的语气改得缓和些，他就能使这本书有不错的销量。总而言之，形势很好，并不是没有希望获得比已经到手的幸福更加美好的东西。

在他们的好运降临一个星期后，有一天，女仆把一封信送到莉迪亚小姐的房间。邮戳表明这封信是从纽约寄来的。莉迪亚小姐觉得有些讶异，完全想不起她在纽约有什么认识的人。她在桌子边坐了下来，用剪刀剪开信封。以下就是她所读到的：

亲爱的塔尔博特小姐：

我想你应该会很高兴听到我的好运。我已经收到并接受了纽约一家专业剧团的邀请，在《一朵木兰花》中扮演卡尔霍恩上校这一角色，报酬是每周二百美元。

还有一件事我想让你知道。我想你最好不要让塔尔博特少校知道。为了回报他在研究这个角色方面所给予我的巨大帮助，以及弥补由此而引起的不快，我诚恳地希望能对他有所补偿。虽然他拒绝了，但我还是想方设法做到了。对我来说，节省下那三百元钱并不是什么难事。

你真诚的朋友
亨利·霍普金斯·哈格雷夫斯

又及：摩斯大叔一角我演得怎么样？

塔尔博特少校经过走廊时，看到莉迪亚小姐的房门开着，于是就停了下来。

"今天早上有我们的信件吗，莉迪亚，亲爱的？"他问道。

莉迪亚小姐赶紧把信件藏进衣服的褶皱里。

"《墨比尔时报》来了，"她飞速地回答道，"在您书房的桌子上。"

麦迪逊广场的天方夜谭

菲利普斯将晚班的邮件取回卡森·查默斯广场附近的家。除了普通信件外,其他两个信封上都盖着外国邮戳,而且完全一样。

其中一个信封里是一个女人的照片,另一个装着一封长信,查默斯默默地看了许久。信是另一个女人写的,辞藻漂亮,用意恶毒,还有对照片上那个女人的挖苦。

查默斯将信撕得粉碎,在高级地毯上来回踱步。山里的野兽被关进笼子后会来回走,人在满腹疑虑时也会在房子里来回走。

慢慢地,他的心总算平静了下来。这方地毯不是魔毯,走十六英尺就到了头,不能延伸,没法让他走出三千里。

菲利普斯又来了。他的到来就像演员登场,如精怪一样,你想他来他准会来。

"老爷,您在家吃饭还是在外面吃?"他问。

"在家吃,再过半个小时。"查默斯说。他听见正月的寒风一阵阵地刮过空荡荡的大街,像大喇叭在叫,心里十分不是滋味。

"且慢!"他对转身要走的精怪说,"我回家时看见广场边有很多人站成好几排,此外有个人在说话,站得高些,脚下不知垫了什么。他们为何要排成队伍站在那儿?为什么?"

菲利普斯说:"那些人是群无家可归的可怜人,老爷。站在木箱上的那个人在为他们募捐,好让他们有地方过夜。路人听了他说的话会把钱给他,他拿着钱为这些人找公寓过夜,能帮多少人要看钱的数目。因此他们要排好队,按到来的先后次序安排住处。"

"吃饭的时候你去从那些人中找一个来,叫他和我一起吃。"查默斯说。

"哪……哪……哪一个呢?"菲利普斯当差以来吞吞吐吐说话这还是头一回。

"随你选一个。"查默斯说,"最好挑个头脑清醒些的,不要管人家干不干净,别的没什么。"

卡森·查默斯请陌生人来吃饭是件不寻常的事。这天晚上,他心情沉闷,想尽办法也解不了愁。要排解心中的烦恼一定要放大胆用个奇方,一定得有《天方夜谭》中的能人。

菲利普斯执行命令准确无误,半个小时内就交了差。楼下餐馆的服务员将美味佳肴端了上来。餐桌上静静地摆着两人的晚餐,点着粉红色的蜡烛。

然后,菲利普斯从无家可归的人中选出来的客人战战兢兢、轻手轻脚地走了进来,仿佛他不是一位要人,而是一个被逮住的贼。

这种人常常被称做破船。假使这个比喻恰当的话,那么就能说这条船是因火而遇难的,甚至还有余火未灭。

他的手和脸刚刚洗干净,是菲利普斯让他别忘了规矩才洗的。烛光照着他,使他显得和房间里气派的摆设很不协调。脸上是病态的苍白,一脸胡须又长又乱,颜色与爱尔兰长毛红猎狗的毛色相近。头上戴顶破帽,长长的浅褐色头发乱成一团,与破帽正好相衬,露了出来,用梳子都夹不住。他就像一条被人欺凌后走投无路的狗,眼神既绝望又诡诈,还充满敌意。破上衣除了那四分之一英寸高的衣领外,扣得严严实实的。他看到查默斯在圆桌对面站了起来,并未表现出受宠若惊的样子。

"有请！"主人说，"能和你一起进晚餐十分高兴。"

"我姓普卢默。如果你是我，一定想要知道同桌吃饭的人尊姓。"从外面请来的客人毫不客气地说。

查默斯连忙答道："我姓查默斯，刚才还没来得及说。请坐在对面吧。"

普卢默把腿微微一弯，等着菲利普斯给他送来椅子。看来，他以前吃饭也是有人侍候的。菲利普斯摆上了鱼和橄榄。

"很好，看起来很丰盛，不是吗？"普卢默大声道，"行呀，我的巴格达热心国王。这餐饭我来做你的鲁佐德吧，一直做到全都吃完。天冷之后遇上你这种具有东方情趣的国王还是头一次。真走运！我排在第四十三个。刚刚数到第四十三时，你的来使便邀请我来赴宴。我不指望当选下一任的总统，也不指望在今天晚上找个地方过夜。我的不幸经历你想怎么听呢？是每上一道菜听一章，还是等到抽烟喝咖啡时听全部的？"

"看来今天的事你不是第一次碰到。"查默斯笑着说。

"实话跟你说吧，是这样！"客人答道，"巴格达的跳蚤多，纽约市里山鲁亚式的人物也多。让我好好地吃上一顿，说说自己的身世。这种事我遇到过二三十回！在纽约就有人愿意这样做！他们既行了善，又满足了好奇心。很多人给你几毛钱或是一盘杂炒，偶尔有个具有回教王气派的，会请你吃牛腰上的肉，但不管是谁，都会对你的身世刨根究底，看了你自传的正文不算，还要看脚注、附录，甚至未出版的番外。哼，我见到来请我吃东西的人知道该如何做，脑子一转我就想好了话赚顿饭吃。我的老祖宗就是会吃开口饭的人。"

"我并不想知道你的身世。"查默斯说，"其实，我就是一时心血来潮，想找个陌生人一起吃饭。放心吧，我不是因为好奇心才找你来问个究竟。"

"哼，废话！"客人大口喝着汤，说，"我倒不介意。我是一本东方杂志，就是卖给人看的。其实，我们无家可归的人都有一种这样的本事。免不了有人走到你面前，想知道你为何落到这般田地。要是给我一块面包或是一杯啤酒，我就会说是好酒贪杯的恶果。要是给我吃腌牛肉、包心菜，喝杯咖啡，我就会说是房东太过歹毒，或者住了半年医院，丢了工作。要是吃嫩牛肉，又给我一个地方住，就说是命运不济，在华尔街被整惨了，一步步沦落到这番境地。今天这样的场面我是头一次遇见，还没想好说什么合适。查默斯先生，这样吧，为了不辜负你的款待，如果你想听，我就把实情告诉你。说假话你会相信，说真话你或许还不信呢。"

一个小时后，菲利普斯端上了咖啡和烟，收拾了桌子，天方夜谭客心满意足，舒了口气，向后一靠。

"你有没有听说过谢拉德·普卢默？"他问道，同时脸上露出一丝诡异的笑容。

查默斯说："这个名字我记得。他是个画家，几年前还很出名。"

"是五年前。"客人说，"之后我便一落千丈。我就是谢拉德·普卢默！我最后一幅画像卖了两千元。但从那之后，我不要钱给人白画像也没人愿意了。"

"为什么呢？"查默斯不禁问道。

"说来奇怪，连我自己都不大明白。"普卢默伤感地说，"有段时间我十分吃香，成了一个了不起的人物，经常有人找我画像。报纸称我为受人欢迎的画家。后来发生了奇怪的事。我每画完一幅画，看到的人都议论纷纷，你看看我，我看看你，眼里充满了异样的神情。"

"没多久我便发现了原因所在。原来，在画人像时，我把人的内心世界也画了出来。我完全出于无意，看到什么就画什么，但我知道这一来自己就完了。有些请我画像的人对此感到很愤怒，画好了也不要。有一次，我为一位天生丽质的社交界明星画像，画完后她丈夫看了脸上出现异样的神情，第二周便提出了离婚。"

"我记得有一次一位大银行家请我画像。我把他的画像摆在画室时，一位认识他的人看了问道：'他真的是这样吗？'我告诉他，我是按原样画的像。他就说：'我以前从不知道他眼里有那种神情，我该去银行把款提走另找一家。'他果然去了，但没有取到款，银行家早已远走高飞。"

"这样，没过多久我就无人问津了。谁也不愿把内心的丑事在画像时透露出去。人能装出一副笑脸欺骗你，但画像不会装。再也没有人请我画像，我只好作罢。我为报纸作过一段时间画，后来又给石版印刷商作过画，但我的作品出现了同样的问题。即使我按照照片画像，照片上别人看不见的特性和神情还是被我画了出来。不过，我猜那些东西照片上没有，本人肯定有。客户为此大吵大闹，尤其是女人，因此每个地方的工作我都做不长久。我开始借酒消愁。很快我便无家可归，只好编出一套谎话混口饭吃。阁下对于听真话是否感到乏味？如果你只求动听，我能编造一段华尔街遭遇的厄运，但那种事要边讲边流泪，现在美餐了一顿，恐怕我很难挤出一滴泪来了。"

"用不着，用不着！"查默斯诚恳地说，"我听得津津有味。你画的像难道每一幅都揭了别人的短处吗？你的神来之笔画出的画是否也有一些人经受住了考验呢？"

"有没有？当然有。"普卢默说，"小孩的全是，很多女人和一些男人的也是。你也知道，并不是所有的人都坏。心术正的人的画像就经得起看。我已经声明，我只对你讲述事实，并不能作任何解释。"

查默斯的书桌上放着当天收到的从国外寄回的相片。十分钟后，他请普卢默照着相片画一张蜡笔画。画家花了一个小时，然后伸了个懒腰，打着哈欠说："画完了。对不起，用的时间很长。我很用心画的。哎呀，我累了！不瞒你说，昨晚我没有地方睡觉现在我得告辞了，先生！"

查默斯把他送到门口，并塞给他几张钞票。

"好，我收下了。"普卢默说，"够我这落魄之人用了。谢谢！还有这顿美餐。今晚我可以好好睡上一觉，做个美梦。但愿明早醒来好梦成真。再见了，回教王！"

查默斯又郁闷起来。他在地毯上走来走去，但总是远远地避开放着蜡笔画像的书桌。他一次又一次想走近书桌，但最终都没有走过去。他看得见金黄色和深浅不同的褐色，但心里害怕，不敢靠近。他坐在椅子上，仍静不下心来，便又起身按铃，叫来菲利普斯。

"这栋房子里有个年轻的画家，姓莱纳曼，你知道他住在哪里吗？"他说。

"最上一层的前房。"菲利普斯说。

"你去把他请来，就说我有件小事想要他帮忙。"

莱纳曼立刻来了。查默斯向他作了自我介绍。

"莱纳曼先生，"他说，"那边的桌子上放着一张蜡笔画像，不知画得如何，行家觉得有什么优点，我想听听你的高见。"

年轻画家走到桌子前拿起画像。查默斯转过半个身子，歪靠在椅背上。

"你——你——你觉得怎样？"他悠悠地问。

画家说："这张画我怎么称赞都不过分。是一位高手的作品，富于创造性，既细腻，又真实。怎么会有这么好的本领呢？这样的蜡笔画杰作，我有好多年没见过了。"

"老弟，你说说这脸、这人怎么样？"

"这是张天仙的脸。"莱纳曼说，"请问这人是谁？"

"我太太！"查默斯大声叫着，朝莫名其妙的画家扑过去，扭着他的手，用拳头在他背上狠狠地锤着，"她到欧洲去了。把这幅画像拿去，小子，学学其中的技巧将你的生活画成一幅画。我会告诉你值多少钱。"

纪念品

里奥内·达曼德小姐背对着百老汇。这应该算是"礼尚往来",因为百老汇也常常背对着达曼德小姐。不过,真正的往来倒还说不上,因为"活报应"剧团这位往日的台柱如今处处有求于百老汇,反过来的情况却还没有。

话说里奥内·达曼德小姐把椅背朝向百老汇的窗口,坐下来缝补一只刚破口的黑丝袜。窗外喧嚣的百老汇的吵闹声和灯光对她根本没有吸引力,她一心只向往这条仙境般的大街的化妆室里闷人的空气和剧院里喜怒不定的观众的喝彩声。然而,袜子却也不得不应付一下。丝织品不及时缝补会不可收拾,而不穿丝袜又能穿什么呢?

马拉松俯视着大海,塞莱亚旅社俯视着百老汇,位于两条通街大道的相汇处,正对着人流的旋涡,犹如一段屹立着的峭壁。一群群的游方演员不辞辛劳跑完了路,便来这里休息用餐。旅社四周的街上有许许多多的售票房、剧院、事务所、学校和饭店。

塞莱亚旅社的走廊不同于一般的旅社,光线昏暗,还有一股怪味,走在里面就像是闷在还没启航、启程的船里、车里,只不过这条船、这辆车大一些罢了。整个房屋给人的感觉是动荡,不祥,是暂居之地,甚至会使你生出许多心事和忧虑来。这些走廊变成了迷宫,如果没有人领路,你会如坠云里雾里。

每转一个弯，你也许会遇上一个穿着睡衣的人，也许会发现走进了死胡同，都只好止步。你也许还会撞上穿着浴衣的喜剧演员，正在到处找的浴室。客房大概有几百间，每间房里不是传出说话声，便是听到有人欢乐地唱上几句，新歌老歌都有，要不就是一些演员聚集在一起打哈哈。

夏天来了，各剧团都已经解散，演员们一边到各自喜爱的旅社休息，一边找经理求聘，寻求秋季演出的门路。

这天下午，时间已经很晚了，该跑的代理人那儿都已经跑过了。你在潮湿的走廊里走着，分不清东南西北，却能见到很多天仙似的女人从身边经过，她们戴着面纱，眼睛像是明星，丝绸衣上的装饰带飘动着，给闷人的走廊带来一种活泼的气氛和芳香。年轻的喜剧演员聚集在门口，谈论着当代的明星布思，他们的嗓子是多才多艺的。从远处不知什么地方飘来火腿和红甘蓝的香味，还有杯盘的碰撞声。

塞莱亚旅店的生活节奏本来并不分明，多亏了啤酒瓶塞一声声噼噼啪啪响得既有规律又悦耳，这家热情好客的旅社的生活才得以分出个层次，像是句子有了标点，但逗号经常用，分号很少用，句号不用。

达曼德小姐的住所是个小房间，梳妆台与洗脸架之间的空隙只容得下一张摇椅，而且还得竖着放。梳妆台上除了日常用品，还摆放着这位昔日的台柱保存的演出纪念品和同行最亲密要好的朋友的照片。

她一边缝补袜子，一边朝一张照片一连看了两三次，脸上呈现出亲切的微笑。

"不知雷现在在哪里。"她自言自语道。

如果你有幸能够见到这张她如此喜爱的照片，看第一眼时，你会以为看到的是一朵多瓣白花，在一阵劲风袭来时吹得花瓣全都张开了。然而你错了，张开来的并非白色花瓣。

你看到的其实是罗莎莉亚·雷小姐的薄纱短裙,她正在舞台的最前方,将腿高抬过头旋转着,向台下的观众表演紫藤绕梁。看得出来,照相机的表现力有限,未能完展现出她腿部动作的优美刚健。其实,每天晚上到了这个激动人心的时刻,她的腿一抬,黄色的丝袜带便随即飞了出去,飞得又高又远,从她灵巧的腿上凌空跃起,然后飘落到台下兴高采烈的观众当中。

你还能看到,在穿着黑衣服的观众群中(主要是爱看精彩杂艺的男观众),有上百个人举起了手,想要抓住这根从天而降的彩带。

这个动作使罗莎莉亚·雷小姐在两年的时间里每年走红四十个星期。在短短十二分钟的表演中,她还有其他的节目:唱歌,跳舞,模仿两三个没人能够模仿的男演员的表演秀,在高高的凳子上用鸡毛扫帚表演平衡技艺。不过,最精彩的那一刻莫过于罗莎莉亚小姐把像花一样张开的短裙一收,微笑着跳到座位上,那根金箍分明在她腿上,转眼间便飞了出去,变成人人都想得到的奇货。就是在这一刻,观众们一个个从座位上起立(这样说也许不算夸张),为她的绝技拍手叫好,而这一招数的确使她的名字在票房卖得了大价钱。

两年后,雷小姐突然对她的闺中密友达曼德小姐说,她要到长岛北岸一个古老的村镇消夏,并且就此告别舞台。

就在里奥内·达曼德小姐说出想得知好友下落的心愿后大约七分钟,突然响起了一阵砰砰的敲门声。

来人无须明说正是罗莎莉亚·雷。她听到里面有一个尖嗓门叫"进来",便一下子闯了进来,把一只沉甸甸的手提袋往地上一扔。果不其然是罗莎莉亚,没有汽车却穿了件坐小汽车时穿的宽松上衣。她风尘仆仆,棕色面罩的带子还紧紧地系着,垂下有一码长。足穿黄褐色浅帮鞋,脚裹着紫色绑腿,身上穿的旅行装是灰色的。

她取下面罩和帽子后，露出了一张非常漂亮的脸，脸色红润，不过因心绪不宁而阴沉沉的。眼睛很大，但不高兴的事使得她的眼神显得黯然。一头浓密的赤褐色头发因梳理得匆忙，小发卷梳子和发卡都没能收拢住一些成波形起伏的散发。

这两位并不是在舞台上而是在生活中亲如姐妹的人，见面后本该又叫又跳，又亲吻又问好，但她们并没有这样做。她们只是抱了一抱，吻了两吻，然后便各自站在之前站的地方。这两位久别重逢的朋友的见面礼，就像士兵和荒野里的行路人的见面礼一样，十分简单。

"我租了一间过道边的房子，在你上面两层楼，但还没上去过，先来探望你。"罗莎莉亚说，"我之前不知道你住在这里，是他们告诉我的。"

里奥内说："我是四月底来到这里的，马上就要跟个倒霉的剧团巡回演出。下星期我们在伊丽莎白开场。我原以为你已经告别了舞台，雷。说说你现在怎样了。"

罗莎莉亚灵巧地扭了一下身子，坐到达曼德小姐的衣柜上，头依靠着糊了纸的墙。巡回剧团的台柱和她的姐妹们长期以来养成了习惯，觉得这样坐着更舒服。不像别人要倒在圈椅里才觉得舒服，而且靠背和扶手越高越好。

"我会让你知道的，琳。"她说。不知为何，这个年轻姑娘的脸上现出气愤而又无可奈何的神情，"明天我又得走百老汇这条老路，把代理人办公室椅子上的漆磨掉一层。从今天下午四点起算，往前数三个月，这三个月里无论什么时候谁要是对我说，我又要听代理人讲什么请留下大名和住址之类的屁话，我真会笑掉大牙。琳，快给我一块手帕。哟，长岛的火车真够呛！我脸上落满了煤粉。哦，对啦，你有什么酒吗，琳？"

达曼德小姐打开洗脸架的门，拿出一只酒瓶。

"还有将近一品脱的曼哈顿鸡尾酒。酒杯里插了一束荷兰石竹,不过……"

"就用瓶子喝吧。酒杯留下,与你作伴。谢谢!这酒很不错,三个月来我第一次喝到!

"琳,你没有说错,春天过完时我告别了舞台。我想离开舞台是因为我厌倦了舞台生活,更因为发自内心地讨厌男人,就是我们吃舞台饭的人非得应付的男人。你应该知道其中的名堂,上自想要我们乘坐他的新汽车的经理,下自想亲热地叫我们的贴广告的人,我们都得想法子应付。

"最糟糕的是演出完毕后我们不得不应付的那帮人。有到后台找我们的,也有经理的朋友,他们请我们到餐厅吃饭,炫耀手里的宝石,让我们去见这个人那个人,全是一群畜生,我恨死了这帮家伙。

"琳,依我看,最值得同情的是我们这些舞台上的姑娘。正派人家的姑娘真心想干出一番事业,辛辛苦苦练就了本领想有出息,可是永无出头之日。你总是听到有人唠叨什么合唱队里的人可怜,一个星期只挣十五块。呸!合唱队里的人有了烦心事吃一只龙虾就能又快活起来。

"谁要想流泪就应该为当演员的流,在没名气的戏里当主角,一星期挣三十到四十五元不等。她明知不可能会有大出息,但也只能年复一年地干着,企盼永远不会到来的'机遇'。

"而我们还得演那些瞎胡闹的名堂!就拿'双推磨'来说吧,你的腿让别人倒提着,手成了腿,满舞台走着,还算是什么歌舞喜剧。不过,这与我表演的那些乱七八糟的东西比起来,倒还算得上正经事。

"但我最痛恨的还是男人,那些坐在你桌子对面色迷迷说着胡话的家伙,一心想把你买到手,出价的多少全在于他们对你的估计。还有坐在观众席上的男人,有拍巴掌的,有大喊大叫的,有放声大吼的,有手舞足蹈、乱蹦乱跳的,全都像一群野兽,眼睛死死地盯住你，只等爪子够得着了便把你一口吞下去。哼，我恨死他们了！

"哦，我还没有对你说过我自己怎样了，对吗，琳？

"我当时积攒了两百元，一到夏天便与舞台一刀两断。我去了长岛，住在一个紧临大海，叫索德波特的美丽小镇上。我打算在那里度过夏天，钻研讲演技巧，在秋天上一个培训班。靠近海滩的一所房子里居住着一位死了丈夫的老太太。有时候老太太会出租一两间房子，为的是能有个人作伴，于是我就住了进去。另外还有一个房客——阿瑟·莱尔牧师。

"他的确是个与众不同的人。琳，你听我说吧。这件事很快就可以说完，只是个独幕剧。

"琳，第一次见到他时，我的心思就活动起来了。他一开口说话，我就被吸引住了。他与观众中的那些人完全不同。他个子又高又瘦。他进房来时，你不是用耳朵听出来的，而是用心感觉出来的。他的脸就像画上的骑士，像圆桌边的一位武士。声音像独奏的大提琴。还有他那迷人的风度！

"琳，你想想大美男子约翰·德鲁在他最漂亮的客厅的那派头吧，如果把这两人对比一下，你会觉得约翰让人看不上眼。

"细节就不对你说了。不到一个月，我就与阿瑟订婚了。他在美轮美奂的教堂里布道。结婚以后，我们可以住在一所小小的牧师住宅里，养养鸡，种种忍冬。阿瑟爱和我讲天堂，但他的话我每次都是左耳进右耳出，一心想着养母鸡，种忍冬。

"我没有告诉他我上过舞台，我痛恨舞台生活，凡是跟舞台有关的都恨。我已经与舞台一刀两断了，何必要提起往事呢？我是个规矩人，除了喜爱演讲，没什么好忏悔的，让我良心上过不去的就只有那么一件事。

"琳，说实在的，我感到称心如意，我在教堂的唱诗班里唱过圣歌，参加过缝纫协会，朗诵安妮·劳里的作品，还能在朗诵时夹杂着口哨,镇上的周报说'水平已接近行家'。我和阿瑟一起去划船,到树林里散步,捡贝壳,这个偏僻的小镇在我看来是世界上最好的地方。本来我会在那里无忧无虑地度过一辈子,如果……

"但是有一天上午,格利太太,就是那位寡居的老太太,多了一嘴。我在后门厅里帮她剥豆荚。出租房子的人一旦知道了什么事,肚子里就藏不住,这位老太太也不例外。她把莱尔先生看成是世上的圣贤,我也这样认为。她历数莱尔先生的优点,最后告诉我,阿瑟不久前曾爱上一个人,爱得发狂,可惜没有成功。她不了解详细经过,只知道他受到了很大打击。她说,他脸上失去了血色,整个人都瘦了。他还保留着那个姑娘的一件纪念品,放在一个小小的花梨木盒子里,小木盒就锁在书房的书桌抽屉里。

"她说:'晚上我有好几次看见他对着木盒发呆,只要有人进房来,他一定会把盒子锁进书桌里。'

"哼,不用问你也可以知道,我会不会很快向阿瑟私下里打听这件事。

"就在那天下午,我们悠闲地划着船在水上看荷花。

"'阿瑟,'我说,'你从未告诉我你还爱过一个人,但格利太太告诉了我。'接着,我让他知道这事瞒不过我。我很讨厌别人撒谎。

"他真诚地看着我,说:'你来之前,我有过一段感情,而且动了真情。既然你已经知道这件事,我就跟你实话实说。'

"我说:'那么请说吧。'

"'我的好艾达,'阿瑟说——在索德波特时我用的当然是真名实姓——'其实我这次动的真情完全是精神上的。虽然那个姑娘确实打动了我的心,我把她看成有追求的女人,但我并没有和她会过面,也没有跟她讲过话,只是心中爱慕。我对你一样有心目中的爱慕,但毕竟有所不同。我想你不会介意这件事,不会因此影响我们

的关系。'

"'她长得漂亮吗？'我问。

"'非常漂亮。'阿瑟说。

"'你常常见到她吗？'我问。

"'大约五六次。'他答道。

"'每次都是从远处看到的吗？'我又问。

"'每次都相隔一段距离。'他答道。

"'你真的爱她？'我追问。

"'对我来说她是外表、风度和心灵美的化身。'阿瑟说。

"'你紧紧锁着，并且时常看得发呆的那件东西是她留下的吗？'

"'那是我珍藏的一件纪念品。'阿瑟说。

"'是她送给你的吗？'

"'是本来属于她的东西。'他说。

"'但不是直接得来的吧？'我问。

"'也能说不是直接，但说直接更妥当。'他答道。

"'为什么你没有和她直接见过面呢？'我问，'难道说你们在生活中相隔太远？'

"'她是遥不可及的。'阿瑟说，'艾达，算了，这事已经过去了。'他补充道，'你不会吃醋，对吗？'

"'吃醋！'我说，'看你说到哪里去啦！现在正因为我知道了这件事，我对你的好感增加了十倍。'

"琳，这话不假，就不知你能不能理解我。暗恋对我来讲很新鲜，我觉得，在我听说过的故事中，这种爱最珍贵，最崇高。想想看，居然会有这样的男人，爱着一个连话都没有说过一句的女人，一直恋着心中想象的偶像！我觉得这很伟大。我以前认识的男人找上你不是拿宝石引诱，就是在酒里下迷魂药，或是承诺加工资，他们哪里有真心！哼，就别提了吧。

"说真的,这一来我对阿瑟更有好感了。我不会嫉妒他曾经崇拜的远在天边的偶像,因为我立刻就会得到他。因为这事,我也把他看成一个圣贤,就像格利老太太一样。

"这天下午四点,有人来找阿瑟,让他去看望他教堂里的一个病人。格利太太躺在榻上睡午觉,房间里只有我一个人。

"从阿瑟的书房经过时,我往里看了一眼,看到他书桌的抽屉上挂着一串钥匙,忘了带走。说起来,我们时常都会干点偷偷摸摸的事,琳,你说是吧?我真想看看他那件从不公开的纪念品。倒不是因为我关心那到底是什么东西,只是单纯出于好奇。

"打开抽屉时,我心里有一两种猜测。我想,或许是她从阳台上扔下的一朵玫瑰花蕾,被他捡到,早已干枯了;要不就是她的一张照片,从一本杂志上剪下的,因为她社会地位很高。

"我打开抽屉,果然看到一个花梨木盒,大约有男人的衣领盒那么大。在一串钥匙中,我找出那个开盒子的小钥匙,打开了盖。

"只看了那纪念品一眼,我就进了自己房间,收拾行李。我把几件东西丢进手提箱,拔下插在头发上的小梳子胡乱理了理头发,戴上帽子,走进老太太房里,在她脚上踢了一下。当时我想压住一腔怒火,说话礼貌文雅些,也为阿瑟留点面子,而且这也是我做事的风格,可根本不行。

"我说:'别拉风箱啦。你起来好好听着,我现在就给你钱。我不住这里了。还有八元房租要付给你。车夫在等着提行李。'

"我把钱给了她。

"'哎呀,是克罗斯比小姐!'她说,'到底出了什么事?我一直认为你在这里住得很开心。我的天哪,年轻姑娘就是让人捉摸不透,你以为她们是这样,可她们偏偏又是那样。'

"我说:'算你说对了,有的姑娘的确难以捉摸,不过男人就不是这样。你了解了一个男人,便了解了所有男人!人类是怎么一回事完全可以这样一锤定音。'

"说完我赶上四点三十八分的火车走了，搞得满身都是细煤灰，我一溜烟就到了这里。"

达曼德小姐忍不住追问道："雷，那盒子里装的究竟是什么呢？"

"从前演杂艺时我一腿甩到观众中的一根黄色丝袜带。琳，你还有鸡尾酒吗？"

多情的五月

要是诗人在你面前赞美五月的话,就请你朝他的眼睛打上一拳。五月是爱搞恶作剧、为所欲为的精灵们的天下。那些顽皮、爱搬弄是非的小精灵在绿意盎然的树林间出没,喜欢恶作剧的小妖精和他的小矮人朋友在城市和乡村里忙得不可开交。

五月,大自然不满地伸出她的指头嘱咐我们,要我们牢牢地记住,我们并非神,只不过是她的大家庭当中过于骄傲的成员。她提醒我们,我们是命里注定要拿来做杂烩汤的蛤蜊和驴子的朋友;是三色堇和黑猩猩的直系子孙;只不过是咕咕叫的鸽子、嘎嘎叫的鸭子以及公园里的女仆和警察们的堂兄表弟。

五月,丘比特用他的爱神之箭胡乱发射——于是,百万富翁娶了个女速记员;知识渊博的教授向快餐店柜台后面系着白围裙、嚼着口香糖的女店员大献殷勤;女教师令坏男孩放学了还迟迟不肯回家;小伙子架起梯子偷偷地爬过草坪,朱丽叶收拾好了她的望远镜,在格子窗边耐心等待着;年轻的情侣们一起出去散步一圈的工夫,回来时就已经成了夫妇;上了年纪的男人们穿上白色的鞋罩,在师范学校附近徘徊;就连已婚的男人也变得特别的温柔多情,在妻子的背上拳脚相向,咆哮道:"嘿,你到底是怎么搞的?"

不过,这个五月并非什么女神,而是女巫喀耳刻,在夏天为初涉社交圈的年轻姑娘举办的舞会上，她戴着假面具，令所有人都望而却步。

老库尔森先生呻吟了一下，随后在他的病人椅上直起身子。他有一只脚痛风得很厉害。他在格瑞梅西公园附近拥有一所房子，有五十万美元存款，还有一个女儿。另外，他还有一个女管家，威德普太太。以上的基本事实和人物都需要交代清楚，所以我就这么做了。

五月戳了库尔森先生一下，于是他变成了斑鸠的大哥哥。他坐在窗边，窗台上摆满了一盆盆的长寿花、风信子、天竺葵和三色堇。微风把它们的香味带到了房间里。于是，房间里的花香和痛风擦剂散发出来的刺鼻的臭气随即展开了一场激烈的较量。擦剂的气味轻而易举地占了上风，但不久，花香就朝老库尔森先生的鼻子来了一记郑重的上勾拳。毫无疑问，这是不安分的、伪装的五月女巫的杰作。

其他明显的、典型的春天的气息，那些地铁上面的大都市里特有的气息，也穿过公园，钻进了库尔森先生的鼻子里。那是热沥青、地下洞穴、汽油、广藿香、橘皮、阴沟、奥尔巴尼市的挖掘机、埃及卷烟、灰浆和报纸上尚没干透的油墨的气味。吹进来的气息是香醇而温和的。麻雀在窗外愉快地啾啾叫着。但你可别轻易地就相信五月。

库尔森先生捋着他的白胡子的末梢，咒骂着他那痛风的脚，使劲按了一下旁边桌子上的铃。

这时，威德普太太走了进来。她四十岁左右，肤色白皙，看上去非常迷人，不过好像有些紧张。

"希金斯出去了，先生。"她微笑着说，那笑容不禁使人联想起振动式的按摩，"他去寄信了。需要我为您做些什么，先生？"

"我该来点止痛药了，"老库尔森先生说，"给我倒一点儿吧。瓶子就在那里。往水里倒三滴。倒——该死的希金斯！居然没有人在乎我，就算我死在这把椅子上，这屋子里也没有人会在意。"

威德普太太深深地叹了一口气。

"快别这么说，先生，"她说，"我们都非常关心您，比任何人所能想象的都要关心。您说的是十三滴吗，先生？"

"是三滴。"老库尔森解释道。

他服下了药，突然抓住威德普太太的手。她的脸红了。哦，是的，你也可以那样做。只要屏住呼吸，紧缩你的横膈膜。

"威德普太太，"库尔森先生说，"我们周围充满了春天的气息。"

"可不是嘛，"威德普太太说，"天气渐渐暖和起来了。每个街角都挂着博克啤酒的招牌。公园里盛开着五颜六色的鲜花，我的腿上、身上也疼得很厉害。"

"春天里，"库尔森先生摆弄着他的胡子，朗诵道，"一个年轻——或者说，一个男人的——脑袋里很容易产生爱情的念头。"

"天哪，快别说了！"威德普太太叫道，"可不是嘛，到处都充满了春天的气息。"

"春天里，"老库尔森先生接着念道，"一道美丽的彩虹映照着雪白的鸽子。"

"他们确实很可爱，爱尔兰人。"威德普太太若有所思地叹了一口气。

"威德普太太，"库尔森先生感到自己痛风的脚传来一阵剧痛，他调皮地做了个鬼脸，说道，"如果没有你，这屋里该有多么寂寞。我是个——应该说，我已经是个老头子了——但我拥有很大一笔钱。如果价值五十万美元的政府债券加上一份内心真挚的感情——尽管我这颗心脏已经不再拥有年轻人的热情，却还能有力地跳动，因为真挚的——"

隔壁房间的门帘边突然砰的响了一声，好像有人弄翻了椅子。于是，这两个值得尊敬，几乎从不招惹流言的人便成了五月的牺牲品,他们的谈话就这样被中止了。

范·米克·康斯坦莎·库尔森小姐傲慢地走了进来,她身材瘦削,高个子,高鼻梁,神情冷淡,富有教养,三十五岁,是典型的住在格瑞梅西公园附近的居民。她戴着长柄眼镜。威德普太太慌忙弯下身去,假装整理库尔森先生痛风的脚上缠着的绷带。

"我以为和你在一起的会是希金斯。"范·米克·康斯坦莎小姐说。

"希金斯刚才出去了,"她的父亲解释道,"威德普太太听到我按铃才进来的。我现在好多了,威德普太太,谢谢你。不,这儿没什么别的需要做的了。"

在库尔森小姐冷冰冰、带着责问的眼光的注视下,女管家红着脸离开了房间。

"今年春天的天气可真好,不是吗,女儿?"老头子故意问道。

"马马虎虎,"范·米克·康斯坦莎·库尔森小姐回答得有点含糊,"威德普太太什么时候开始休假,爸爸?"

"我想她说的是一个星期后。"库尔森先生说。

范·米克·康斯坦莎小姐在窗台边站了一会儿,注视着沐浴在午后和煦的阳光下的小花园。她以植物学家的视角审视着花园里的花儿——那是诱人的五月里最具杀伤力的武器。带着科隆少女特有的性情,她抵挡住了无形的柔情的攻势。温和的阳光射出的一道道金箭,撞上了保护着她心如止水的内心的冰冷的盔甲,不得不败下阵来,凝固了。花朵的芳香也未能唤醒她沉睡的心灵深处一丝一毫的柔情。麻雀叽叽喳喳叫个不停,令她感到厌烦。她嘲笑五月。

不过,尽管库尔森小姐自己抵制住了这个季节的诱惑,凭着内心的敏锐,她并没有低估它可能产生的巨大威力。她知道,上了年纪的男人和腰身变得粗大的女人就像荒谬的五月列车上受过教育的跳蚤一样，内心充满了躁动。她以前也听说过愚蠢的老绅士娶了女管家这类的荒唐事。不管怎么说，这该有多丢人，这种感情居然也能称之为爱情！

第二天早上八点，送冰人来了，厨子告诉他库尔森小姐在地窖里等着他。

"嘿，就算我不是奥尔科特也不是迪普，也该称呼一下我的名字吧？"送冰人自我解嘲道。

他放下卷起来的袖子，把冰钩丢在喷水器上，转身往回走。直到范·米克·康斯坦莎·库尔森小姐喊了他的名字，他才终于把帽子摘了下来。

"这间地窖有个后门，"库尔森小姐说，"经过隔壁的空地就能看到了，他们正在挖地基准备修建房子。我要你在两个小时内从那个门搬一千磅冰进来。你或许得另找一两个人帮忙。我会告诉你把冰放在哪里的。接下来的四天里，你每天都按同样的方式搬一千磅冰到这儿来。你们公司可以把冰钱算在我们的账单上。这算是给你的辛苦费。"

库尔森小姐递给他一张十美元的钞票。送冰人双手拿着帽子放在身后，向她鞠了个躬。

"希望您可以原谅我，小姐。能为您效劳是我的荣幸，只要您满意就好。"

哎呀呀，都是为了五月！

中午的时候，库尔森先生打翻了放在桌子上的两个玻璃杯，弄坏了门铃的弹簧，马上扯着嗓子喊希金斯。

"快去拿把斧子来，"库尔森先生用讽刺的口吻命令道，"要不就去找一夸脱氢氰酸来，或者干脆叫个警察来一枪把我打死，总比我一直呆在这儿冻死的要好。"

"天气好像真的变冷了，先生，"希金斯说，"怎么我以前一直没发现。我这就去把窗户关上，先生。"

"去吧，"库尔森先生说，"他们管这种天气叫春天，是吗？如果总是这样，我就回到棕榈滩去。这房子根本就像个停尸间。"

过了一会儿，库尔森小姐走了进来，关切地询问父亲的痛风有没有好些。

"康斯坦莎，"老头子说，"外面的天气怎么样？"

"天气还算晴朗，"库尔森小姐回答说，"但是冷得要命。"

"我觉得简直像是个寒冬。"库尔森先生说。

"今年的天气确实很典型，"康斯坦莎心不在焉地看着窗外说道，"就像他们说的，'冬天在春天的怀里徘徊'，即便这个比喻本身不太准确。"

过了一会儿，她沿着小公园的一边走过去，向西往百老汇大街前进，打算去那里逛一逛。

又过了一会儿，威德普太太走进病人的房间。

"您按铃了吗，先生？"她笑容满面地问道，"我叫希金斯到药店去了，我好像听到您按铃了。"

"我没有按。"库尔森先生说。

"我是不是中断了您的话，先生，"威德普太太说，"昨天您打算要说些什么的时候。"

"这是怎么回事，威德普太太，"库尔森先生严肃地说，"房子里怎么会这么冷？"

"冷吗，先生？"女管家问，"怎么，是的，经您这么一说，这屋子里似乎确实有点冷。但现在外面的天气就跟六月一样暖和舒适，先生。这样的天气简直让人的心就像要从衣服里跳出来似的，先生。房子侧边墙上的常春藤上长满了叶子，有人在弹奏着手风琴，孩子们则在人行道上跳舞——这真是把心里话说出来的最美妙时刻。您昨天说，先生——"

"愚蠢的女人！"库尔森先生大声吼道，"我付钱给你是要你看管好这间房子。我在自己的房间里就快要冻死了，而你却跑进来对我说什么常春藤、手风琴之类的无聊话。赶紧去给我拿件大衣来。看看楼下的门窗是不是都已经关好了。像你这样又老又胖，不负责任，见识短浅的蠢货，竟然在大冬天里瞎扯什么春天和鲜花！等希金斯回来，叫他给我拿一杯加糖的热朗姆酒进来。现在给我出去！"

可是，又有谁能使五月明媚的脸庞黯然失色呢？或许她是有点放肆，扰乱了头脑清醒的男人内心的宁静，但就算是再狡黠的少女或冰库，都不能让她在众多耀眼的月份中低头认输。

哦，是的，故事还没完呢。

过了一个晚上，第二天一大早，希金斯帮老库尔森坐到窗台边的椅子上。房间里的寒气已经消失了。奇妙的香味以及甜蜜的柔情涌了进来。

威德普太太匆匆忙忙地走进来，站在他的椅子旁边。库尔森先生伸出他那瘦削的手，抓起她滚圆的手。

"威德普太太，"他说，"如果没有你，这房子根本就不像是个家。我有五十万美元，要是这些再加上一份内心真挚的感情——尽管它不再有年轻人火一般的热情，却还未曾冷却——能够——"

"我终于发现了是什么让房子变冷的，"威德普太太靠在他的椅子上说，"是冰——许多冰——在地窖和暖气炉间里面，每个地方都堆满了。我已经把送冷气进你房间的风门给关了。库尔森先生，可怜的人儿！现在又来到五月了。"

"一颗真挚的心，"老库尔森继续说道，神情有些恍惚，"春天让它又苏醒了，还有——可我的女儿会怎么说呢，威德普太太？"

"别担心，先生，"威德普太太激动地说，"库尔森小姐她，她昨晚已经跟送冰人一起私奔了，先生！"

慈善事业数学讲座

"教育事业收到的捐款已经超过了五千万美元。"我说道。

我在浏览晚报上的八卦新闻,此时杰夫·彼特斯正把烟丝塞进烟斗。

"这种事,"杰夫说道,"里面可是大有文章的,大到足以让人们在慈善事业数学班上讨论一番。"

"你想说明什么吗?"我问他。

"没错,"杰夫说,"我没告诉你我和安迪·塔克做过慈善家吧?那是八年前在亚利桑那州的事情了。我和安迪·塔克赶着双马货车在基拉山区外勘探银矿,我们找到了矿苗,把它卖给了图森那边的人,一共赚了两万五千美元。我们将支票拿到银行兑换了银币,一千元一袋。我们把它们装上货车,往东走了一百多英里,两个乐晕了的大脑才稍微镇定下来。

"你看一下宾夕法尼亚铁路公司的财务年报,或是听一位演员说他的年薪,你会发现两万五千美金好像不算多。可是,当你掀开货车的顶棚,用鞋跟踢踢装满银币的口袋,听到丁丁当当的响声,你就会觉得,自己好像是一家通宵营业的银行,而现在刚好是午夜十二点。

"第三天,我们来到了一座整洁美丽的小镇,真可算是巧夺天工,兰德·麦克内莱的杰作也不过如此。小镇坐落在山脚下,繁花遍地，树木茂盛。那里有两千多名居民，他们都热情好客，生活十分悠闲。小镇的名字好像叫佛罗勒斯维，当时那里还没有因铁路而受到污染，也没有跳蚤和拥挤的游客。

"我和安迪在当地的希望储蓄银行联名开了一个账户，把钱存了进去，然后就在天景宾馆开了个房间。晚饭过后，我们点上烟斗，坐在走廊上抽烟。就在那个时候，我兴起了开办慈善事业的念头。我想，每一个当过骗子的人迟早都会产生这种念头的。

"当一个人从公众身上拿到了数量可观的钱财时，他就不免有些胆怯，总会想是不是该吐出一部分。如果你仔细观察一下，注意他们的一举一动，你会发现，他们一般会设法把钱还给被自己坑害过的人。"

"就拿张三来说吧。张三卖灯油给那些彻夜苦读政治经济学，或是研究托拉斯企业管理的穷学生，由此赚到了几百万的钱财，因此他就会把钱捐给大学和专科学校。

"再说李四，他的财富是从那些靠繁重的体力劳动养家糊口的普通工人身上搜刮来的，李四要怎么把那笔昧心钱退还一部分呢？

"'啊哈，'李四说，'我还是借教育的名义来做这件事吧。我剥了劳动人民的皮，'他自言自语，'但俗话说得好，一好遮百丑。'

"于是，他捐了八千万美元建造一座图书馆，那批自带饭盒来盖图书馆的工人便得到了些许好处。

"'光有图书馆，书呢？'读者们的问题接踵而至。

"'我才不管呢！'李四说，'我捐赠了图书馆，现在图书馆盖好了。如果按你们的说法，我捐赠钢铁托拉斯的优先股股票，难道我还要把股票里的水分也盛在刻花玻璃瓶里一起端给你们吗？简直岂有此理！'

"总之，我刚才说过，有了那么多钱，我也想参与一下慈善事业了。这是我和安迪有生以来第一次弄到这么多钱，现在我们终于可以冷静地想想它们到底是怎么来的了。

"'安迪,'我说,'我们现在有钱了,当然没有多到别人做梦都不敢想的地步,但是以我们自己的标准来说,我们已经可以算是富得流油了。我觉得我们也应该为其他人做些什么。'

"'我们想到一起去了,杰夫,'安迪回答说,'以前那么长的时间里,我们都在用各种各样的小伎俩诈骗别人,从推销自燃的赛璐珞①硬领,到在乔治亚州倾销霍克·史密斯竞选总统时的纪念章。只要不让我在救世军里擦拭装备,或者用贝蒂荣人身测定法②来教圣经班,我倒愿意尝试一下慈善事业。'

"'那我们做些什么呢?'安迪问,'给穷人施舍粥饭,还是寄给乔治·柯特柳③一两千块钱?'

"'这些都不行,'我说,'如果做普通的慈善事业,我们的钱太多,但要补偿以往全部的欺骗罪行,这些钱又不够。所以,我们还得想想别的办法。'

"第二天,我们在佛罗勒斯维镇上溜达,看见一座小山顶上有一栋红砖砌成的大房子,似乎没有人住。镇上的居民告诉我们,那是几年前一个矿主建造的住宅。等到新屋建成之际,矿主发现只剩下两块八毛钱来做室内装修,他一时伤心,便把那点钱买了威士忌,然后从屋顶纵身跃下。他的遗骸就安葬在他跳下去的地方。

"我和安迪一见到那座房子,便同时出现了一样的想法。我们可以对房子进行一番修葺,安上电灯,买些黑板擦,请几位教授,在草坪上立一只铁质的狗雕塑,再立上赫拉克勒斯④和约翰教父的塑像,在那里办一所全世界最好的免费学校。

---

① 赛璐珞:早期人造塑胶。
② 贝蒂荣人身测定法:一种精确的鉴定罪犯的方法。
③ 乔治·柯特柳:时任美国财政部长。
④ 赫拉克勒斯:希腊神话中最著名的英雄之一。

"我们和佛罗勒斯维镇上的一些公众人士进行了商谈，他们都极为赞成这件事情。居民们在消防队为我们举办了一个宴会，于是，我们第一次作为进步与文明事业的资助人，出现在众人面前。安迪作了一个半小时的演讲，主题是关于埃及南部地区的灌溉问题。连宴会上的留声机和菠萝汁都充满了我们的道德的气味。

"安迪和我立即着手操办我们这项慈善事业。镇上凡是有点技术的人，都被我们请来做房屋修葺的工作。我们把它分隔成一间间教室和报告厅；我们发电报到旧金山，订购了整车的课桌、足球、数学课本、笔架、字典、教授椅、石板、人体骨骼模型、海绵、二十七套四年级学生的防雨布、学士服和学士帽，等等，并且另开了一张订单，没有写明具体的物品，只是凡一流大学所需要的东西都要。我还自作主张，在订货单上添了'校园'和'课程设置'两项，但是没文化的电报员肯定是弄错了，等东西运到的时候，我们在里面发现了一听青豆罐头和一把马梳①。

"周报上刊出我和安迪的照片时，我们又给芝加哥一家职介所发了电报，要求他们立即装运六名教授，费用按离岸价②计算。一个教英国文学，一个教现代古板语言学③，一个教化学，一个教政治经济学——民主党党员优先，一个教逻辑学，还有一个不仅要懂绘画、意大利语、音乐，还要有工会会员证。薪水由希望储蓄银行担保发放，从八百块到八百块零五毛不等。

"好了，现在我们终于都准备好了。学校前门上刻上了下述几个字：'世界大学，彼特斯和塔克赞助及拥有'。九月一日那天，学校来了很多人。第一批来的是教员，他们从塔克森搭乘周三的那班快车过来。他们大都很年轻，戴着眼镜，满头红发，带

---

① "校园（Campus）"和"课程设置（Curriculum）"，与"青豆罐头（can of peas）"和"马梳（curry-comb）"读音相近。
② 离岸价：货物装运地价格。
③ 讽刺现代语言学。

着一半为了光明前途、一半为了混饭吃的目的。安迪和我安排他们住在佛罗勒斯维镇的居民家中,等待学生们的到来。

"后来,学生们成群结队地来了。我们之前在各州报纸上刊登了招生广告,现在看到这些州的反应如此迅速,我们甚感欣慰。响应我们免费教育号召的,共有二百一十九个人,他们都年轻力壮,年纪最小的十八岁,最大的络腮胡子都长满了。这些人把佛罗勒斯维搞得乱七八糟,面目全非。你根本分不清这个学校究竟是哈佛一样的大学,还是三月开庭的戈德菲尔茨。

"他们挥舞着世界大学深蓝浅蓝交辉相应的旗帜,在街上来来往往,令佛罗勒斯维变得热闹非凡。安迪站在天景宾馆的阳台上向他们发表了一番演说,全镇的人都出来观看和庆祝。

"大概两个星期之后,教授们解除了学生的武装,把他们赶进了教室。我想,世界上没有什么比做慈善家更让人身心愉悦的了。我和安迪各自买了顶真丝高筒礼帽,假装躲避佛罗勒斯维公报的两个记者。那家报社在街上安排了人,每次我们出门,他们就对着我们拍照,每个星期都在教育新闻专栏上刊登我们的照片。安迪每星期在学校进行两场演讲,他一讲完,我就会站起来说一个笑话;曾经有一次,那家报社竟然把我的照片放在亚伯拉罕·林肯和马歇尔·皮·怀尔德中间。

"安迪对这种慈善事业的兴趣并不比我低,为了让大学更加繁荣,我们经常半夜睡不着,互相交换意见。

"'安迪,'有一次我对他说,'我们忘记了一件事,学生该有自己的舒适①。'

"'那是什么东西?'安迪问道。

"'啊,当然是能在里面睡觉的东西啦,'我说,'所有学校都有的。'

---

① 舒适:此处主人公将宿舍(dromedary)一词拼错了。

"'哦,你是说睡衣吧。'安迪说。

"'不是睡衣,'我说,'我说的是舒适,就是舒适。'但安迪怎么也不明白,因此我们最后也没有订购。当然,我说的是各个学校都有的,学生们可以一排排地睡在里面的那种长卧室。

"不用说,先生,世界大学是一个了不起的成功!我们的学生来自五个州和其他地区,佛罗勒斯维也因此迅速繁荣起来。新的打靶游乐场、一家新当铺和两家酒店开张了。学生们编了一支校歌,歌词是这样的:

年轻的学子
聚集在这里
彼特斯,塔克
这里充满欢笑
我们呐喊
我们鼓舞
世界大学
嘿呼嘿

"学生们都是优秀的年轻人,因为他们,我和安迪都感到很自豪。在这里,我们就像是家人一样。

"十月底的一天,安迪来问我知不知道我们银行里还有多少存款。我估计应该还有一万六千美元左右。但是安迪说:'我们的存款只剩 821.62 美元了!'

"'什么!'我不禁惊呼,'你是说,那些面目可憎、幼稚无比、土里土气、傻不拉几的小崽子们,竟让我们花了这么多钱?'

"'没错!'安迪说。

"'那么,让慈善事业见鬼去吧。'我说。

"'那也不必,'安迪说,'慈善事业只要经营得法,也是很有前

途的一种招摇撞骗的行当。我来策划一下，看看能不能补救一下。'

"第二个星期，在翻阅教职员工的薪金单时，我忽然发现了一个新名字：詹姆斯·达恩利·麦科克尔教授，负责数学讲座，周薪一百美元。我气得大叫，安迪急忙跑了进来。

"'这是怎么回事？'我说，'年薪五千多块的数学教授？这是怎么回事？他是从哪儿爬进来的，自己委任的吗？'

"'一个星期前，我打电报到旧金山把他请来的。'安迪说，'我们订购教授的时候，好像把数学讲座遗漏了。'

"'幸好遗漏了，'我说，'付他两个星期薪水后，我们的慈善事业就和斯基博高尔夫球场的第九个球洞没什么区别了。'

"'别着急，'安迪说，'先看看事情进展如何。慈善事业太高尚了，我们可不能随便打退堂鼓。而且，对这种零售式的慈善事业，我越研究越觉得有前途。以前我怎么就没想到把慈善事业当成一种生意呢？现在想想，我认识的慈善家个个都富贵无比。我早就应该注意到这点，把它研究透了，弄清楚到底是怎么回事。'"

"我很信任安迪投资理财的能力，因此便让他掌控全局。大学如常，我和安迪的大礼帽仍旧崭新。佛罗勒斯维镇的居民不停地授予我们各种荣誉，把我们这两个快要破产的慈善家视为百万富翁。

"学生们给小镇带来了生机和活力。一个陌生人来到镇上，在红墙马车出租处的楼上开了一家法罗赌场，收入颇丰。一天晚上，我和安迪出门随便逛逛，出于社交礼仪，我们下了一两块钱的赌注。赌客里有五十来个我们的学生，他们围着桌子，一边喝着朗姆酒，一边放下一摞摞的红蓝筹码，等着庄家亮牌。

"'太过分了，安迪，'我说，'这帮呆头呆脑、愚蠢无比的纨绔子弟，跑到我们这里来享受免费教育，但他们比我们任何时候都要富有！看看他们从腰包里掏出来的一卷卷的钞票吧！'

"'我也看见了，'安迪说，'这帮学生中有许多是有钱矿主和

牧场主的孩子。看着他们这样浪费机会,真是让人伤心啊!'

"圣诞节到了,学生们都回家过节了。我们在学校里举行了一场告别会,安迪以《爱琴群岛的现代音乐和史前文学》为题,作了一次演讲。每个教授都向我们举杯敬酒,把我和安迪比做洛克菲勒和马库斯·奥托里格斯大帝。我拍着桌子,高声喊着要见麦科克尔教授,但他似乎没有参加盛会。我很想见见这个在即将破产的慈善学校里,安迪依然认为他的周薪可以高达一百美元的传奇人物。

"学生们都搭夜班火车离开了,镇里一片寂静,就像是函授学校半夜时的校园一样。我回到宾馆的时候,看见安迪的房间里还有灯光,就推门走了进去。

"安迪和法罗赌场的庄家坐在桌前,正在分配一摞两英尺高的一千美元一捆的钞票。

"'完全没问题,'安迪说,'每人三万一千美元。快进来吧,杰夫。'他说,'这是我们合伙经营的慈善组织——世界大学上学期的分红。现在你总该相信了吧,'安迪说,'慈善事业要是当成一桩生意来做,也是一门艺术,施予者和被施予者都能从中受益。'

"'太好啦!'我十分高兴,'我总算相信了,你这次确实干得不错!'

"'我们搭早班车走吧。你赶快收拾一下你的硬领、硬袖和剪报。'

"'没问题,'我又说,'耽误不了。但是,安迪,在离开之前,我很想见见詹姆斯·达恩利·麦科克尔教授。我很对他感到很好奇,想认识一下。'

"'这很简单。'安迪说着,朝法罗赌场的庄家转过身去。

"'吉姆①,这位是彼特斯先生,你们握个手吧!'他说。

---

① 吉姆:詹姆斯的昵称。

幽默家的自白

某种毫无征兆的疾病,在我身上潜伏了二十五年后,终于爆发了。人们说我得的就是这种毫无征兆的病。

但是,人们并不称之为麻疹,而把它叫做"幽默"。

为了庆祝经理五十岁生日,雇员们凑份子买了个银质墨水台,我们一起涌入他的私人办公室,把礼物拿给他看。大家选我为代表发言,于是,在准备了一周后,我当场发表了一段简短的祝贺词。

这个贺词很成功。里面充满了双关、警句,还有有趣的笑料,人们的笑声几乎要震塌公司——在整个五金批发行业中,我们这家公司的根基算是相当牢固的。

作为一个幽默家而被大家推崇,我的名声就是从那天早上九点半后传播开的。接下来的几个星期,我的同事们接二连三地提起这件事,夸奖我的幽默,这让我的自满之情日渐增长。他们一个个跑到我面前,向我解释我的笑话中的每一个笑点。

渐渐地,我发现人们希望我继续努力,保持住现在这种幽默劲头。别人可以轻松地谈论生意上的事情,或者生活中的其他话题,却要求我必须讲出好笑的话。

人们希望我能拿陶瓷制品开下玩笑,还得轻巧地挖苦搪瓷器皿。我在公司的职位是记账员,而如果我上交一份资产负债表时没有对上面的各种数字发表一通搞笑的评论，其他员工就会感到失望。或者当我开出一张关于犁具的发票，却讲不出任何笑料，情况也会如此。我的名声渐渐传开，我成了当地的"名人"。我们这个镇子太小，要"成名"很容易。地方日报常常引用我说过的话，而我也成了当地社交圈子中不可或缺的一员。

我知道自己的确有些小聪明，反应也还算迅速。我有意识地培养自己的这种能力，并不断地进行练习。我的幽默和蔼亲切，不带丝毫讽刺，也不会对别人造成侵犯。人们看见我到来便会微笑，等我们面对面后，我便会用自己的语言让他们的微笑变为开怀大笑。

我结婚比较早，现在有一个三岁的儿子，长得很可爱，还有一个五岁的女儿。我们住在一幢墙上爬满藤蔓的小房子里，不必说，我们的生活很幸福。我在五金公司担任记账员的薪水虽然不算丰厚，但这正好使我们远离财富过多给人带来的恶果。

偶尔我会写几个自认为有趣的笑话或是感想，然后寄给发表这类作品的特定期刊。每一篇文章都被立即采用，有些编辑还来信请我继续投稿。

有一天，某家著名周刊的编辑发来一封信，要我写一篇幽默小品，用来代替一个专栏的内容。他还暗示说，如果效果不错，便开辟一个新的专栏刊登我的作品。我答应了。两周后，他提出要签订一个为期一年的合同，报酬远远高于我在五金公司任职的薪酬。

我非常高兴。我的妻子已经在心中把我尊崇为一名文学大师。那天的晚餐，我们吃了炸虾丸，还开了一瓶黑莓酒。这是让我摆脱掉无聊的工作的好机会。在认真和露易莎讨论了此事的可行性后，我们一致认为，我应该辞去现在的工作职位，专心于幽默创作之中。

于是，我辞去了工作，同事们为我举办了一个告别宴会，我在宴会上发表的讲话妙趣横生，当地报纸全文进行了刊登。第二天早上，我醒来后看了看闹钟。

"天哪！我要迟到了！"我大喊了一声，赶紧去抓衣服。露易莎提醒我，我现在已经不再是五金器具、建筑材料的奴隶，而是专业幽默家了。

吃完早餐后，她得意地把我带到厨房边的一个小房间里。我亲爱的姑娘啊！里面有一张桌子，一把椅子，稿纸，墨水，烟灰缸，还有作家所需要的全部装备——插满玫瑰花和忍冬的花瓶。墙上挂着去年的日历，还有字典、巧克力——方便我边吃边等灵感到来。真是个可爱的姑娘！

我坐下来开始工作，墙纸是阿拉伯式花叶，也可能是苏丹宫女，或者，也许是四边形。我紧紧盯着上面的一个图形，冥思苦想我的幽默。

这时，一个声音把我惊醒了，是露易莎。

"要是现在不忙的话，亲爱的，"她说，"过来吃饭吧。"

我看了看表。没错，五个小时已经过去了，时间老人真是一点情面都不留。于是我便去吃饭了。

"你不用一开始就这么努力的，"露易莎说，"歌德还是拿破仑曾经说过，对于脑力工作者来说，一天五个小时就足够了。今天下午你能带我和孩子们去小树林转一下吗？"

"我确实也累了。"我承认道。所以我们就去了小树林。

过了没多久，我就步入正轨了。一个月之内，我的作品就像五金器具一样货源充足了。

我成功了。我在周刊上的专栏引起了小小的轰动，评论界经常议论我的名字，说我是幽默家新秀。我又向其他刊物投稿，收入大大增加。

我找到了这一行的诀窍。我可以抓住一个有趣的想法，写成一则两行文字的笑话，挣一美元。再给它带上个假胡子，就能把它变成四行诗，这样钱就会多出一倍。然后再给裙子加上几个褶，添上韵脚，配上漂亮的插画，它就变成了一首讽刺诗，你绝对看不出它的本来面目。

我开始有了些积蓄，我们添置了新地毯，买了风琴。镇上的居民也开始改变对我的看法，把我当成大人物，而不再是五金商店那个滑稽的小职员。

过了五六个月，那种自发的幽默感仿佛离开了我，我再也不能随口说出那些妙语连珠的话。有时我什么都想不出，也找不到任何可以用来创作的素材。我开始注意倾听朋友们的谈话，试图从中找到可以利用的素材。有时我会咬着铅笔，一连几个小时盯着墙纸，想要编造点看起来不那么愚蠢的笑话。

对我的朋友而言，我变得很狡猾，像一个摩洛神[①]、约拿[②]和吸血鬼。我很焦虑，变得贪婪，也很憔悴，这样的我站在朋友中间，实在是煞风景。只要出现一句睿智的话语、风趣的比喻或者仅仅是几句俏皮话，我都会朝他们冲过去，就像是狼狗看见了骨头一样。我无法完全相信自己的记忆，只得偷偷转过身，怀着罪恶感和对自己的鄙视，将他们的话记录在自己随身携带的笔记本上，甚至记在衬衣袖口上，以便日后使用。

我的朋友们都用可怜和惊讶的目光看着我。我和从前已经完全不一样了。以前，我把用来消遣带来欢乐的笑话送给他们，现在我却对他们进行掠夺。我再也说不出能博取他们欢笑和赞叹的话语了。因为这些笑话太珍贵了，我不能把用来谋生的东西免费送给别人。

我成了寓言中那条悲伤的狐狸[③]，我的朋友们就是乌鸦，我总是竭尽所能地赞美它们的歌唱，指望从它们嘴里掉下点肉末来。

[①] 摩洛神：造成牺牲的恐怖事物。
[②] 约拿：圣经人物，带来厄运的人。
[③] 狐狸：夸奖乌鸦歌声好听，以让它继续唱歌，使口中的肉掉下。

几乎所有人都开始回避我。我甚至不记得该怎样微笑，即便是听到那些我即将窃取的话语，我也没办法笑出来。

　　我到处搜集素材，不论周围是些什么人，不论何时何地，不论什么主题，任何笑话都不能幸免。哪怕是在教堂，我那早已堕落的思想，也会在教堂庄重的走廊柱子之间穿梭，搜寻着我的猎物。

　　当牧师开始念诵长韵赞美诗，我也开始胡思乱想："赞美诗，吃零食，吃零食的人，相遇，与她相遇①。"

　　牧师的布道经过我的思想筛选，只要有任何诙谐妙语的蛛丝马迹，我就全然不顾牧师的其余教义了。唱诗班庄严无比的唱诗不过是我思绪的伴奏，因为我念念不忘的是怎么把女高音、男高音和男低音相互妒忌的古老笑话进行新的演绎，为我所用。

　　家里也成了我的狩猎场。我的妻子非常温柔、率真、富有同情心，也很任性。曾经她的话语能给我带来快乐，而她的思想也总是充满快乐。现在我却在利用她，把她看做一座金矿，我要挖掘她所蕴含的所有女人特有的滑稽可笑，充满矛盾的思想。

　　这些纯朴幽默的话语，本该用于丰富我们神圣的家庭生活，现在我却公然把它们拿到市场出售。我像魔鬼一样怂恿她讲话，而她对我全无戒备，毫无保留。我把它们摆放在冰冷庸俗的印刷品中，并将之公诸于众，任人品评。

　　我成了以文字为生的犹大，一边吻着她，一边又出卖她。为了几枚银元，我把她可爱坦率的私房话套上无聊愚蠢的裙裤，让它们在市场上装腔作势地跳舞。

　　我亲爱的露易莎啊！每当夜深人静的时候，我躺在她身边，像残忍的狼窥视着稚嫩的羔羊，窃听着她喃喃的梦语，希望可以为第二天的辛苦劳作找到些许灵感。可是，更糟糕的事情还在后头。

　　老天爷啊，救救我吧！随后，我又将利齿转向了我那年幼的

---

① 此处在英语中押韵。

儿女的稚嫩言语。

盖伊和维奥拉就像两个喷涌的泉眼，孩子们天真的思想和语言便是那泉水。我发现这类幽默很受欢迎，于是便在一家杂志开辟了"童趣妙想"专栏，定期供稿。我像印第安人偷袭羚羊似的偷偷接近他们。我躲在沙发后面，藏在门背后，或者躲在院子的树丛中间，窃听他们玩耍时的谈话。我拥有了一个掠夺者的全部特征，除了自责之外。

有一次，我实在是江郎才尽了，而我又必须在下一个邮件中将稿子寄出。于是，我躲在园子里的一堆落叶下面，我知道他们会到那里玩。我相信盖伊不会知道我藏身的地方，即使他发现了，我也不愿意因为他点着了我藏身的落叶而责备他，虽然这样做的后果是毁掉了我一套新衣服，并且差点把他们的父亲直接火化掉。

很快，孩子开始像躲瘟神一样躲着我。当我像个阴郁的食尸鬼，偷偷靠近他们时，我总是听到他们说："爸爸来啦！"然后马上收起玩具，躲到比较安全的地方去。我成了个悲苦的可怜虫！

但我的收入还算可观。一年不到，我便攒下了一千美元，我们生活得很舒适。

可是，我为此付出了怎样的代价啊！我不知道印度的贫民是怎么生活的，但我觉得自己现在和他们毫无区别。我没有朋友，没有娱乐，也没有生活的乐趣，我还牺牲掉了家庭的幸福。我就像一只蜜蜂，在对自己最重要的花朵中贪婪地吮吸花蜜，而这些花朵因畏惧我的刺，对我惟恐避之不及。

有一天，有个人面带愉快而友好的微笑，向我打招呼。这是我几个月以来第一次遇到这种情形。当时，我正从彼特·赫弗尔鲍尔的殡仪馆门前走过，彼特站在门里，向我打招呼。我感到一阵莫名的难过，停住了脚步。他请我进去。

那天天气阴冷，还下着雨，我们走进他后面的房间，那儿有个炉子正生着火。有顾客来了，于是，彼特让我独自待一会儿。一种全新的感觉充满了我的身心，那是一种很舒服的宁静和满足的感觉。我看了看周围，房间里是一排排发亮的黑黄檀木棺材、黑色的棺衣、棺材架、装饰灵车的羽毛、灵幡以及从事这一庄重行业的全部物品。这里的气氛安详、宁静、沉寂，是个庄严肃穆、适合沉思的场所。这里处于生命的边缘，是永恒的安静所笼罩的安息之所。

当我走进屋子的那一瞬间，尘世间的一切无知愚昧似乎都远离了我。身处在这个沉寂庄严的地方，我再不能思考任何关于幽默的东西。我的心灵舒适地躺在了自己的床榻之上休息，周围漂浮着的是许多温柔的思绪。

一刻钟之前，我还是一位众叛亲离的幽默家。而此时，我却成了一名怡然自得的哲学家。在这里，我找到了庇护所，一个让我可以逃避幽默的地方；在这里，我不必绞尽脑汁地思索那些令人发笑的噱头，更不必大费周章地寻找妙语佳句。

以前我和赫弗尔鲍尔并不很熟悉，所以，当他回来时，我就让他先说话。我害怕他一开口就破坏了现在这种美好的氛围，带入不能与之相融的东西。

可他没有。他的谈吐与这里的环境融为一体。我宽慰地长长舒了一口气。我生平头一次了解到，竟有人能说出像彼特这般具有神奇效力的言语！与他的话相比，连死海都可以算是喷泉了！任何风趣、幽默、智慧都无法破坏掉他的语言。他嘴里的话都是陈词滥调，像黑莓酒那样常见，像股票行情自动收录器中一星期之前的股票行情那样显而易见，丝毫不能引起别人的注意。我激动得发抖，试图拿我最得意的笑话来试探他。结果，这些笑话悄无声息地被他反弹回来，没起到一丁点原本应有的效果。从那一刻起，我就喜欢上了这个人。

我一周有两三个晚上要跑到赫弗尔鲍尔那里去，泡在他后面的房间里。这成了我唯一的乐趣。我开始早早起床,匆忙完成工作,以便有更多的时间在我的庇护所里消磨。在其他任何地方,我都不能改掉那种从周围环境中寻找幽默素材的坏习惯。只有和彼特的谈话,不管我怎么惹他发笑,都没有用。

由于他的影响,我的精神状态开始好转。每个人都需要一点娱乐来减轻工作的压力。如今,当我在街上遇到以前的朋友时,我竟能对他们微笑,也可以说上一两句愉快的话,这让他们感到非常吃惊。还有几次,我竟然心情舒畅地和家人开起了玩笑,他们惊讶得目瞪口呆。

做一名幽默家带给我的负担实在是太重了,如今,我竟像小学生一般渴望自由的假期。

我的工作开始有了改变,对我而言,工作已经不再像之前那样是一种痛苦或者负担。趴在桌子上写作时,我常常会吹起口哨,思绪比起以前也更加流畅。我总是迫不及待地结束工作,然后以酒鬼冲向酒馆的姿态,冲向我的庇护所。

我的妻子非常担心,她猜不透我每天下午究竟是去什么地方消磨时间。我想我还是不要告诉她的好,女人不懂这些东西。哎,可怜的姑娘!有一次她就因为殡仪物品受到过惊吓。

有一天,我拿了一个银质的棺材把手做镇纸,还拿回来一片很蓬松的羽毛——那种用来装饰灵车的羽毛,我拿它来扫掉稿纸上的灰尘。

我喜欢把这些东西放在桌子下面,这样我就能随时想到赫弗尔鲍尔殡仪馆后面的那个房间。但是,当露易莎看到它们,竟大声尖叫起来。我不得不胡乱找了些借口来安慰她。但是,我从她的眼神看出,她的疑虑并没有消失,我只好把这两样东西拿走了。

有一次,彼特·赫弗尔鲍尔向我提出了一个诱人的建议,令我惊喜非常。他用他一贯明智平淡的态度把一本账本拿给我看,并解释说，现在他的殡仪馆的收益和发展正蒸蒸日上，他想找一个投资人。在他认识的人中，他觉得我是最合适的。那天下午我离开殡仪馆的时候，彼特的手里已经有了我原本存在银行的一千美元，我成了他的投资人。

我非常开心地回到家，欣喜之中却还有一丝疑虑。我不敢把这件事告诉我的妻子，但是，这并不影响我的欣喜。因为这样我便可以放弃幽默家的创作工作，重新享受生活。而不必非得从中榨取幽默家所必须的素材，那些博人一笑的东西。这是多么让人心情舒畅的一件事啊！

吃晚饭时，露易莎把我不在家时收到的几封信交给我，其中有好几封是退稿信，自从我开始往赫弗尔鲍尔那里跑，我的退稿信就变得多得吓人。最近，我创作幽默作品和随笔的速度非常快，思维也很敏捷。而在此之前，我就像是个泥瓦匠，迟钝而痛苦地堆砌一个个的作品。

其中有一封信是来自那家与我签订了长期合同的周刊的编辑，周刊的稿酬依然是我们家庭的主要生活来源。我飞快地打开信封，里面的内容如下：

尊敬的先生：

如您所知，我刊与您订立的一年期合同将于本月到期。我们感到非常的遗憾却又不得不通知您，来年我们并不想续约。您的幽默曾经深受广大读者的喜爱，我们也曾经非常满意。但是，近两个月来，您的稿件质量明显下降。

早期您的作品非常自然、轻松、充满乐趣和智慧；而近期您的作品却变得吃力、做作，缺少说服力，显得力不从心。再一次遗憾地跟您说，日后我社将不再接受您的来稿。

您真诚的，编辑

我把这封信递给我的妻子。她看完后,脸色一下子变得很差,眼睛里全是泪水。

"这些可恶的家伙!"她气愤地嚷道,"我相信你写的东西还和以前一样好,并且你现在花的时间还不到过去的一半。"我想露易莎是想到了不会再寄过来的支票,"啊,约翰,"她带着哭音说,"以后你要怎么办呢?"

我没有回答,站起身来,绕着饭桌跳起了波尔卡舞步。我敢说,露易莎肯定认为我是被这个不幸的消息给逼疯了。但我觉得孩子们都很喜欢我这样做,因为他们跟在我身后,模仿着我的舞步,高兴地大喊大叫。此时,我好像又和以前一样,是他们的玩伴了。

"今晚我们去看戏吧!"我嚷道,"去看戏,完了再去皇家饭店大吃一顿。伦普蒂——迪德尔——迪——迪——迪——登!"

然后,我解释了我高兴的原因,告诉她我现在已经是一家生意兴隆的殡仪馆的合伙股东,让我写的那些笑话都化为灰烬吧!

妻子手里的这封信正说明了我选择的正确性。这样一来,妻子也说不出什么反对的话了,只是说了些无关紧要的意见。因为女人是欣赏不了彼特的,赫弗,不对,现在是赫弗尔鲍尔股份公司了,它后面的那个房间是多么美好啊。

最后,我要说的是,如今在我们镇子里,你再也找不出像我一样快乐,和我一样会说话的人了。我的才华再一次被人们注意到,被人们不停地说起,我又一次可以兴致盎然地听妻子说心里话了,一点贪婪的想法都没有。盖伊和维奥拉也重新回到了我身边,和我一起玩耍,在我身边流露着自己作为孩子所特有的"幽默",而不用担心我手里拿着小册子,像个魔鬼一样地盯着他们。

我们的生意发展得非常好,我负责账目和店内的工作,彼特负责外面的事务。他说我的轻松快活,足以让任何一个葬礼变成爱尔兰守灵席。

催眠师杰夫·彼特斯

　　为了挣钱，杰夫·彼特斯计划了各种方法，他的歪门邪道多得像是查尔斯顿那里煮米饭的方式。

　　我特别喜欢听他讲年轻时的故事，当时他在各大街道兜售膏药和止咳药水，艰难地谋生度日。他还经常和各种各样的人打交道，拿最后一枚硬币与命运赌博。

　　"我到了阿肯色的费舍尔山，"他说，"身穿鹿皮衣和鹿皮靴，留着披肩长发，手上戴着三十克拉的钻戒——那是我用一把小刀从特克萨卡纳的一个演员手里换来的。我真不明白他为什么要我的小刀。

　　"我当时的头衔是印第安名医，伏都大夫。当时我身上随时带着唯一的却是最好的赌注，那就是用能够延年益寿的植物和草药浸制而成的回春药酒。这种植物和草药是乔克陶族酋长美丽的妻子，在为年度玉米节舞会烹煮狗肉，寻找配菜时无意中发现的。

　　"在上一个镇子里，我的生意做得不是很好，后来兜里只剩下五块钱。我找到费舍尔山的药剂师，向他赊了六打八盎司容量的玻璃瓶和软木塞。我的手提袋里还有在上一个镇子用剩的标签和原料。住进旅馆后，我拧开水龙头，开始勾兑回春药酒，然后一打一打地排在桌子上。这时，生活似乎又变得美好起来。

　　"你说我弄的是假药？不，先生。那六打药酒可是用价值两块钱的金鸡纳浸出液和一毛钱的阿尼林做成的！很多年后，当我再次路过那些小镇时，那里的人还想要买这种药酒呢。

"那天晚上，我雇了辆大马车，开始在街上卖药酒。费舍尔山地势较低，因此盛行疟疾。据我判断，我的药酒具有润肺强心、活血化瘀的作用，正好能够满足镇上居民的需要。药酒的销售情况很好，简直就像是长期吃素的人突然看见了鱼翅海参。我以一块钱两瓶的价钱卖了两打药酒。这时，我突然感到有人扯我的衣服。我马上就明白了那是什么意思，于是赶紧从车上下来，把一张五元的钞票偷偷塞进一个前胸带着银质星形徽章的人手里。

"'警官，'我说，'多好的夜色啊！'

"'你推销这种假货本身就是违法的，而你居然还冒充是药酒。'他问我，'你有本市颁发的执照吗？'

"'没有，'我回答，'我不清楚这里原来是个城市。如果我明天看出来这的确是个城市，必要的话，我可以去弄一张。'

"'在你拿到执照之前，我只能让你停业。'警察说。

"我收了摊子，回到旅馆，和旅馆老板说了这件事。

"'哦，你的生意没法在费舍尔山做下去的，'他说，'霍斯金大夫是这里唯一的医师，他是镇长的小舅子，他们不会让假郎中在这个镇上行医的。'

"'我没行医啊，'我说，'我有一张州里颁发的小贩执照。必要的话，我可以再去领一张市里的执照。'

"第二天早晨，我来到镇长办公室。他们说镇长还没有来，也说不准他到底什么时候上班。于是，伏都大夫只好再次回到旅馆，窝在椅子里，点起一支雪茄，耐心地等着。

"没过多久，一个打着蓝色领带的年轻人悄悄在我旁边的椅子上坐下，问我现在是几点。

"'十点半，'我回答说，'你不是安迪·塔克吗？我见过你做生意。你不是在南方各州销售'丘比特什锦大礼盒'吗？让我想想，

那里面有一枚智利钻石订婚戒指、一枚结婚戒指、一个土豆搅拌机、一瓶镇静糖浆和一张桃乐西·弗农的照片,一共只卖五毛钱。'

"安迪见我还记得他,非常高兴。他是一个很厉害的街头推销员,更难能可贵的是,他还有很好的职业精神,只要能赚到百分之三百的利润他就满足了。很多人拉他去做非法的贩卖假药或者劣质种子的生意,但他从不受诱惑,始终对自己的生意不离不弃。

"我现在需要找个搭档,于是就和安迪商量联手做生意。我向他介绍了费舍尔山的情况,告诉他由于当地的政治和泻药纠缠在一起,生意不是很顺利。安迪是坐当天早晨的火车来到这里的,他手头也不宽裕,正打算在镇上募集一些资金,到尤里卡喷泉去造一艘新的军舰。于是,我们来到走廊上,开始商量对策。

"第二天上午十一点,我正独自坐着的时候,一个黑人慢条斯理地走进旅馆,来请大夫给班克斯法官看病。班克斯法官貌似就是那位镇长,据说他病得不轻。

"'我不是医生,'我说,'你干吗不去请那位医生?'

"'先生,'他说,'霍斯金大夫正远在二十英里外的乡下给人看病呢。镇上只有他一位大夫,班克斯老爷病得很厉害。是他派我来请你的,先生。'

"'看在同胞的情分上,我就去看看他。'说完,我在口袋里装上一瓶回春药酒,来到山上镇长的府邸。那是镇上最讲究的房子,斜屋顶,门口的草坪上有两只铁铸的巨犬。

"班克斯镇长除了胡子和脚尖,全身都瘫在床上。他肚子里发出巨大的响声,足以让旧金山所有人都误认为发生了地震而全体朝空旷处狂奔。一个年轻人端着一杯水,站在床边。

"'大夫,'镇长说,'我病体沉重,怕是不久于人世了。您还能妙手回春救我一命吗?'

"'镇长先生,'我说,'我命中注定成不了艾斯·库·拉比乌斯的正式门徒,我从未上过医学院的任何课程。我只不过是出于

同胞间的情谊,来看看有什么可以为您效劳。'

"'非常感激。'他说,'伏都大夫,这是我的外甥比德尔先生,他希望能让我好受点,可一点用也没有。哦,天哪!哎哟!哦——'他又叫唤起来。

"我向比德尔先生打了招呼,然后坐在床沿上,为镇长把脉。'让我看看你的肝——我是说舌苔。'我说。接着,我翻开他的眼皮,仔细检查他的瞳孔。

"'你病了多久了?'我问。

"'我这病是——哎呀——昨晚才发作的。'镇长说,'大夫,给我开点药,行吗?'

"'菲德尔先生,'我说,'请把窗帘拉开一点,好吗?'

"'我叫比德尔,'年轻人纠正我道,'你不想吃点火腿蛋吗,詹姆斯舅舅?'

"我把耳朵贴在他的右肩胛骨上,听了一会儿,说:'镇长先生,你的病非常严重,是右锁骨急性炎症!'

"'天哪!'他叫唤着,'你能不能在上面抹点什么药,或者正一正骨,或许想点别的办法。'

"我拿起帽子,朝门口走去。

"'您不是要走了吧,大夫?'镇长带着哭腔说,'您不会就这样一走了之,丢下我不管,让这种锁骨的超急症折磨死我吧?'

"'人性啊,哇哈大夫,'比德尔先生说,'您不能眼看着一个人类同胞被病痛折磨而袖手旁观的。'

"'您要是吆喝完了,我可以告诉您,我叫伏都大夫。'我说完,又回到床边,把我的长发往后一甩。

"'镇长先生,你现在只有一个希望。用药对你已经无济于事了。药物的效力固然很大,但还有一样效力更大的东西。'

"'那是什么?'镇长问。

"'科学研究证明,精神战胜药物。要相信痛苦和疾病根本就

不存在，只不过是我们不舒服时产生的错觉罢了。心诚则灵，试试看吧。'

"'你说的到底是什么东西，大夫？'镇长问，'你不会是社会主义者吧？'

"'我讲的可是关于心理调节的伟大学说，这是一种通过远距离、潜意识来治疗癔症和脑膜炎的启蒙学派。它是一种奇妙的室内运动，也就是人们通常所说的催眠术。'

"'你会用这种医术吗，大夫？'镇长问。

"'我是犹太教最高长老院大祭司，内殿法师之一。只要我施展一下催眠术，瘫子就能下地走路，瞎子也能重见光明。我是神灵附体的高音催眠家，是灵魂的主宰。最近在安娜堡的降神会上，多亏我施展法术，已故的酒醋公司经理才能重返人世，和他的妹妹简谈话。你看我在街上卖药给穷苦人，'我说，'但我不会在他们身上施展催眠术。我不能降低身份，因为他们手里没钱。'

"'那你能为我做吗？'镇长问。

"'听着，'我说，'不管到哪里，医药学会总是找我的麻烦。我不行医，但为了救你，我可以为你治疗，只要你这个镇长向我保证，不再追究执照的事。'

"'那当然，现在就赶紧开始吧，大夫，我又开始疼了。'

"'我的诊金是二百五十块钱，治疗两次，保证你能够痊愈。'我说。

"'好，我愿意付。我想我这条老命值二百五十块钱。'

"'现在，不要再想你有病，其实你压根没病。你没有心脏，没有锁骨，没有胳膊肘，也没有大脑。你什么痛苦都没有。一切都是你的幻觉，现在，你的疼痛感有没有逐渐消失？'

"'确实好多了，大夫。'镇长说，'现在，请你再撒几句谎，对我说，就说左边根本就没有肿胀，我想我就可以跳起来，吃些香肠和荞麦饼了。'

"我用手在他身上比划了几下。

"'现在,'我说,'炎症已经消失了。你很困,你的眼睛睁不开。现在病痛已经止住了,好了,睡吧。'

"镇长慢慢闭上眼睛,打起鼾来。

"'迪德尔先生,'我说,'你见证了现代科学的奇迹。'

"'是比德尔,'他说,'你什么时候给我舅舅做下一次治疗,波波大夫?'

"'是伏都,'我说,'我明天上午十一点再来。等他醒来后,给他吃八滴松节油和三磅肉排。再见!'

"第二天上午,我准时到了那里。'你好啊,里德尔先生,'他打开卧室房门的时候,我向他打招呼,'你舅舅今天上午怎么样?'

"'好多了。'那个年轻人说。

"镇长看起来气色不错,脉搏也很正常。我又为他做了一次治疗,最后,他说他一点都不疼了。

"'现在,'我说,'你最好在床上休息一两天,就可以完全康复啦。镇长先生,你运气可真好,幸好赶上我到了费舍尔山,丰饶角①里记录的所有寻常医师开的一切药物都救不了你。现在,既然你的身体康复了,也不觉得疼了,我们也该谈谈比较轻松的话题了,就是那二百五十块钱的诊金。不要开支票,对不起,我讨厌在支票背面签字,就像讨厌在支票正面签字一样。'

"'我这儿有现金。'镇长说着,从枕头底下摸出一个皮夹子。

"他数出五张五十元的钞票,放在手里。

"'把收据拿过来。'他对比德尔说。

"我在收据上签了名,镇长把钱交给我。我小心翼翼地把钱放在贴身的口袋里。

"'现在你可以执行公务了,警官。'镇长笑嘻嘻地说,根本不像生病的人。

---

① 丰饶角:象征丰饶的羊角,源于希腊神话,特指钱币图案中满载花果、谷物的牝山羊角。

"比德尔先生抓住我的胳膊。

"'你被捕了,伏都大夫,别名彼特斯,'他说,'你违犯了本州法律,无照行医。'

"'你是谁呀?'我问。

"'让我告诉你他是谁,'镇长从床上坐起来,说,'他是州医药学会雇用的侦探,已经跟踪你走了五个县。昨天他来找我,我们就定下这个计谋来抓你。骗子先生,我想你不能在这一带行医了。大夫,你说我得的是什么病来着?'镇长哈哈大笑,'综合……总之,我想不是痴呆症吧。'

"'嘀,侦探!'我说。

"'没错,'比德尔说,'我要把你移交给司法官。'

"'你试试看,'我说着,突然卡住比德尔的脖子,几乎要把他扔到窗外。不料他却掏出一把手枪,抵住我的下巴。我只好松开手,一动也不敢动。他给我带上手铐,从我口袋里掏出了那笔钱。

"'我证明,'他说,'班克斯法官,这就是你我做过记号的钞票。我把他押到司法官的办公室,把这钱交给司法官,再由他给你开一张收据。案子审理时,这些钱将作为物证。'

"'没关系,比德尔先生。'镇长说,'现在,伏都大夫,你干吗不施展法力,用你的催眠术把手铐打开呀?'

"'走吧,警官。'我说,'算我倒霉。'接着,我转向老班克斯,把手铐弄得吱吱响。

"'镇长先生,'我说,'总有一天你会相信,催眠术是个巨大的成功。你会知道,即便是在现在这个事件里,它也是成功的。'

"'我想事情的确是这样。'

"当我们走到门口的时候,我说:'安迪,现在我们也许会碰到人了。我想你最好把镣铐解下来。'嗯?为什么?当然啦,比德尔就安迪·塔克。这是他的计策。就这样,我们把镇长也带进这个案子里来了。"

提线木偶

一个警察站在第二十四街和一条漆黑的巷子的拐角处，其上方正好有一座高架桥穿过。时间正是凌晨两点钟，天气湿冷，下着小雨，正是黎明前令人厌烦的黑暗时刻。

一个穿着长外套的人，蹑手蹑脚地快速穿过这条阴冷的巷子。他的帽子压得很低，挡住了额头，手里提着不知什么东西。警察礼貌地拦住这个人进行询问，语气中故意透着一股自信的感觉，这种感觉来源于他在这个地方的权威性，在这种时间，这么一个臭名昭著的巷子里，这个人行色匆匆，手里还携带重物——自然构成了"可疑情况"，警察当然要插手干预，调查清楚了。

这名"嫌疑犯"很合作地站住了，把帽子往脑袋后面推了推，借着路灯闪烁的灯光，我们能看见帽子下面是一张镇定自若的脸。他的鼻子很长，眼神深邃沉重。他把戴着手套的手伸进大衣侧面的口袋里，掏出一张名片，递给警察。警察把名片举起来，借着摇曳的灯光，看见上面印着"医学博士查尔斯·斯宾塞·詹姆斯"的字样。地址所在的街道和门牌号码位于一个富庶而守法的地段，这样的地方不容人产生好奇心，更不容人去怀疑。警察往下看了一眼他手里提着的物品——一个漂亮的黑皮医药箱，箱子上还有银质的小装饰——更进一步证实了名片对此人身份的担保。

"请吧，医生，"警察说着让到一旁，神色亲切又有些笨拙，

"上面要我们多加小心。最近入室盗窃和拦路抢劫的案子特别多。在这种天气深夜出诊可真够糟糕的。虽然不算太冷,但是湿乎乎的。"

詹姆斯医生礼貌地点了点头,附和了几句对天气的评论,然后继续匆匆前行。那天夜里,他起码遇到了三位巡警,每位都收到了他的名片,看到了他那个足以作为职业典范,并证明他为人正派、行事正当的医药箱。假如这些警察中有谁觉得不对劲,第二天应该去核实一下名片真假的话,他就会发现确实如名片所示,医生的名字写在一个很漂亮的门牌上,而医生本人,则衣冠楚楚、气定神闲地在他那间设备精良的办公室里工作着。前提是,不能去得太早,因为詹姆斯医生总是起得很晚——他还会发现,与他共同生活过两年的邻居们都乐于证明医生历来是个奉公守法,忠于家庭,事业有成的好公民。

因此,这些尽职的和平守护者,如果其中任何一位能看一眼那个表面光鲜亮丽的箱子里面的东西,他们首先会看到一套最新款的品质高超、"保险箱专家"专用的工具。所谓"保险箱专家",是现在那些天才的保险箱盗窃者自封的名号。这套工具,每一件都是经过专门设计、特别打造的——短小而有力的铁撬棍、一整套形状怪异的钥匙、性能优良的高强度蓝钢钻头和冲头——所有这些都能轻松地钻透冰冷的钢铁,就像老鼠啃噬奶酪一样。夹钳可以像水蛭一样吸附在光滑的保险箱门上,然后像牙科大夫拔牙一般干净利索地拔出保险箱的密码锁。在"医药箱"内部的一个小袋子里,有一瓶四盎司装、用剩一半的硝化甘油。这些工具下面是一堆皱皱巴巴的钞票和几把金币,这笔钱总共是八百三十美元。

在一个成员不算多的社交圈子里,詹姆斯医生是一个了不起的"希腊人",这个霸气的称号一半来源于他泰然自若的绅士风范,另一半用行话说,即他是领头羊、策划者,能凭着住址、职业所带来的社会影响和声誉获取信息，并以此出谋划策。他是带领他们的事业发达起来的人。

这个精干的小圈子里的其他几位成员是：斯基才·摩根、根姆·德克尔——他们都是骨灰级的"保险箱专家"；还有利奥波德·普雷兹菲尔德，他是城里的珠宝商，专门负责处理三人工作小组搞来的钻石和其他饰品。这几个人都是讲究义气又能力超群的好人，守口如瓶，忠贞不渝。

对于那天晚上的收获，这些人并不满意，因为他们付出的辛苦劳动没有获得足够的回报。这么一家实力雄厚的纺织品老字号，周六晚上放在那个双层侧栓的老式保险箱里的存款，本来应当不止两千五百美元。但他们当晚只弄到这么一点钱，按照惯例，三人当场就把钱平分了。他们原本期望能从这里弄到一万到一万两千美元。不过，这家店的其中一位老板做事过于保守。天一黑，他就把大部分现金装在一个衬衫盒子里带回家了。

詹姆斯医生沿着杳无人迹的第二十四大街往北走，无论从哪个角度看，这条街都空荡荡的。即使是经常聚集在此的戏剧爱好者们，此时也早已上床休息了。蒙蒙细雨淋透了街面，铺路的石头之间汇集出一个个小小的水洼，借着弧光灯射出的光线，再反射回去，散发出千万道亮晶晶的光芒。一阵冷冽的寒风，携带着雨水，从房子之间的缝隙里迎面扑来。

这位医生刚刚走到一幢高大的、与周围房屋相比显得与众不同的砖砌建筑的拐角时，房子的大门突然砰的一声打开了，一个嘴里又叫又骂的黑人妇女，噼里哐啷地走下台阶，来到人行道上。她嘴里嘟嘟囔囔的，好像在自言自语，又像在对什么人说着似的——她这个种族的人，每当独自一人或遭遇困境时，都用这种方式求救。她看上去像是南方的老式奴仆——喋喋不休、肆无忌惮、忠诚不二，却又不服管束。她的模样就生动地表明出这种个性：肥胖、整洁，总是系着围裙、裹着头巾。

这个突然出现的幽灵人物，从那幢静谧的屋子里冒出来，走到台阶底部时，恰好迎面遇上了詹姆斯医生。她的大脑将注意力从发声转化为影像；于是，她不再胡乱叫嚷，而是瞪着一双金鱼眼，死死地盯着医生随身携带的医药箱。

"上帝保佑！"一看到医药箱，她就冒出了这样一句祝福，"你是大夫吗，先生？"

"对，我是大夫。"詹姆斯医生答道，停住了脚步。

"看在上帝的份上，请来看看钱德勒先生吧。不知道他是犯了病还是怎么搞的，躺着一动不动，就像死了一样。艾米小姐叫我去找个大夫。天知道要是你没有出现的话，老辛迪该到哪儿去找大夫。要是老主人知道了这里的事情，哪怕只有千分之一，那就有好戏看了。先生，他们肯定会掏出枪的，对，用手枪——在地上用脚步量好距离，然后开始决斗。那个可怜的小羊羔，艾米小姐……"

"带路吧，"詹姆斯医生说着，已经走上了台阶，"如果你想找的是医生的话。要是你想找个听你唠叨的人，我可没空。"

黑人妇女走在他前面，进了屋子，他们走过一段铺着厚地毯的楼梯，经过两条光线暗淡的走廊。在第二个走廊上，爬得气喘吁吁的领路人拐进了一个门厅，停在一扇门前，打开了门。

"我已经把医生请来了，艾米小姐。"

詹姆斯医生走进房间，向站在床边的一位年轻太太欠了欠身。他把医药箱放在一把椅子上，脱掉大衣，把它盖在医药箱和椅背上，然后泰然自若地朝床边走去。

床上躺着一个男人，四肢摊开，仍保持着他倒下去时的姿势——衣着华丽时尚，只有鞋子是脱掉的；全身松散地躺着，一动不动，就像死了似的。

詹姆斯医生身上散发着宁静而镇定的力量，就像一种独特的光环，对于他的老顾客来说，这种力量就像是沙漠中凄凉孤独的绝望者遇到的甘泉。尤其是女人们，总是为他在病房里的言行举止所倾倒。那不是追求时髦的大夫对病人一贯的纵容、安慰和讨好，而是一种淡定从容、沉着自信、战胜命运的气概。那是对人的尊重，以及提供保护和勇于献身的精神。他那双坚定明亮的棕色眼睛中流露出一种深邃的吸引力，他平静而不带任何表情的脸上，带着冷静得如牧师一般的安详，散发出一种潜在的威严，使他看上去非常符合他所担任的知己和安慰者的角色。他有时出诊，那些初次见面的女性就会告诉他，为了防止夜里有人偷窃，她们把钻石都藏在什么地方了。

詹姆斯医生训练有素，经验丰富，不用转动眼珠就能估算出这间房子里所有家具陈设的等级和品质。这些家具华丽而且昂贵，同时他也瞥见了那位年轻太太的面貌。她身材娇小，年纪二十出头。她的容貌称得上美丽迷人，不过，现在却——您也许会这么说——黯淡无光，被一种由来已久的已经凝固的忧郁——而不是突如其来的不幸引起的悲痛——所笼罩。她的额头上，一侧眉毛的上方有一块青紫色的瘀伤。他以医生的专业目光判断，受伤的时间不会超过六个小时。

詹姆斯医生伸手去摸男人的脉搏。他那双会说话的眼睛则询问着那位女士。

"我是钱德勒太太，"她回答说，带着悲伤的南方人那种含糊的腔调，"在您到来之前大约十分钟，我丈夫突然犯病了。他以前就犯过几次心脏病，有几次还很严重。"病人三更半夜还衣着整齐，让她觉得有必要作进一步解释，"他晚上出去了，很晚才回来，我想应该是去赴晚宴。"

詹姆斯医生现在把注意力转向了他的病人。不论以哪种"职业"身份出现，他都习惯于全身心投入，把每一个"病例"或者"买卖"做到最好。

病人看上去三十岁上下，脸上流露出一种放荡而鲁莽的神情，不过五官还算端正，另有一种幽默的神情，弥补了缺点。他衣服上散发着泼洒出来的酒味。

医生把病人的外衣脱去，然后用一把小刀，把衬衫从领子一直割开到腰部。清除了障碍物后，他把耳朵贴到病人的胸口仔细倾听着。

"二尖瓣回流？"他一边站起身，一边轻声说道。句子结尾用了不确定的升调。他又俯身听了很长时间，这次，他用确诊的语气说："是二尖瓣闭锁不全。"

"夫人，"他开口说道，这种令人安心的语调经常能缓和人们紧张焦虑的心情，"有可能——"他慢慢转过头，面向着那位太太，正好看见她脸色苍白，晕了过去，倒在老黑人妇女的怀里。

"可怜的小羊羔！可怜的小羊羔！他们是不是把辛迪大妈的心肝宝贝给害死了？但愿上帝会用怒火来惩罚那些使她误入迷途的人，那些伤了她天使般的心的人，那些害得她沦落到这种地步……"

"把她的脚抬起来，"詹姆斯医生边说边帮着她支撑起那个虚弱无力的身躯，"她的房间在哪儿？她应该上床休息。"

"在这儿，先生，"黑人妇女裹着头巾的脑袋朝一个房间的门点了点，"那就是艾米小姐的房间。"

他们把她抬进那个房间，放在床上。她的脉搏非常微弱，不过还算规律。

"她疲劳过度，"医生说，"睡眠是最好的治疗方法。她醒过来以后，给她喝一杯加热水的甜酒——里面再放个鸡蛋，如果她还吃得下的话。她额头上的伤是怎么回事？"

"撞了一下，先生。可怜的小羊羔摔倒了——哦，才不是这样呢，先生，"老女人变化多端的种族特性使她忽然勃然大怒，"老辛迪才不要为那个恶魔撒谎呢。是他干的，先生！但愿上帝让他的手烂掉——哎呀！真糟糕！辛迪答应过她温柔的小羊羔，绝对不会讲出来的。艾米小姐受伤了，先生，她头上的伤是摔倒时撞到的。"

詹姆斯医生朝一个放着油灯的精美灯架走过去，把灯光捻暗了一些。

"你留在这里陪着你的女主人。"他命令道，"保持安静，让她好好睡一觉。要是她醒过来了，就给她喝加了热水的甜酒。要是她的身体变得更加虚弱，你就告诉我。这事有点奇怪。"

"这里比这怪的事还多着呢。"黑人妇女又开始唠叨。不过，医生居然一反常态，用上了他很少使用的强制语气叫她闭嘴，他常用这种语气安抚歇斯底里的病人。他回到另一个房间，把门轻轻掩上。床上的男人没有动弹，但是已经睁开了眼睛。他的嘴唇嚅动着，似乎想说什么。詹姆斯医生低下头侧耳倾听，只听到他嘴里低声呢喃："钱！钱！"

"你能听懂我说的话吗？"医生问道，声音压得很低，但很清晰。

那颗脑袋轻轻地点了一下。

"我是医生，是你太太派人请我来的。她们告诉我，您是钱德勒先生。您病得很严重，绝对不能过于兴奋或紧张。"

病人的眼睛似乎在向他暗示着什么。医生俯低身子，倾听那依然十分微弱的声音。

"钱——两万美元。"

"钱在哪里？在银行吗？"

眼神表示了否定。"告诉她，"他说话的声音越来越微弱，"那两万美元——她的钱。"他的目光在房间各处搜索。

"你把这笔钱放到什么地方了吗？"詹姆斯医生的声音就像女妖塞壬一样诱人，想要从神志不清的人嘴里挖出秘密，"是在这个房间里吗？"

他觉得他从病人逐渐黯淡下去的眼神中读到了些许赞同的意味。他手指下的脉搏已经细若游丝了。

这时，詹姆斯医生另一门职业的本能在他的心头和脑海里浮现了。他行事果断，像对待别的事情一样很快做出决定：要探听出这笔钱的下落，即使要以精心算计一个人的生命作为代价也在所不惜。

他从口袋里掏出一小本空白的处方笺，扯下一张，按照标准的常规做法，随意开出一张适合患者需要的药方。接着，他走到里屋门口，轻声叫那个黑人妇女出来，把药方交给她，吩咐她赶快去药房，把药买回来。

她嘀嘀咕咕地说了几句之后就走了，医生走到钱德勒夫人的床边。她还在沉睡着，脉搏已经强了一点儿，额头除了瘀伤周围红肿的地方，也都不再发烫，上面还有一层薄薄的汗珠。除非受到打扰，否则，她还能睡上好几个小时。他找到房门钥匙，出去的时候顺手把门锁上了。

詹姆斯医生看了看自己的手表，有半个小时可供他自由支配，因为那个老妇人不大可能在半小时内买完药赶回来。于是，他找到一只水罐和平底玻璃杯，打开医药箱，拿出装着硝化甘油的小瓶。他那些善于摆弄手摇曲柄钻的同行弟兄，都把硝化甘油简称为"油"。

他把一滴淡黄色、浓稠的液体倒在平底玻璃杯里，又取出银色的皮下注射管套管，拧上针头，小心翼翼地用注射器上的刻度测量好每一管水，抽了几次，几乎用了半杯水来稀释那一滴油。

这天晚上，就在两个小时之前，詹姆斯医生就是用这支注射器，把未经稀释的液体注射进一个他在保险箱锁上钻开的小孔里；然后，随着一声沉闷的爆炸声，控制着插销运转的机械被毁掉了。现在，他打算用同样的方法，来激荡人类生命最主要的机械——刺激这个人的心脏——每一下打击都是为了随后垂手可得的金钱。

相同的手段，但用了不一样的形式。前者是一位鲁莽狂暴、充满原始动力的金属巨人，而这位则是将致命的武器掩藏在天鹅绒和花边之下的阿谀奉承的弄臣。因为医生正用针管小心翼翼地注入从平底玻璃杯抽取的液体，如今这液体已经成为三硝酸甘油酯溶剂，这是医学上迄今为止所知的最为猛烈的强心剂。两盎司就足以把铁制保险箱坚固的门炸裂开，现在，他要用一滴量的五十分之一来使一个人复杂精细的生命机体永远静止。

不过，不是立刻静止。这不符合他的计划。首先，它要快速增强对方身体的活力，要给身体每一个器官和机能一个强有力的推动力。心脏会对这种致命的刺激做出剧烈反应，血管里的血液会更快地流回到它的源头。

但是，詹姆斯医生心里非常清楚，用这种方式过度刺激心脏就意味着死亡，就像用步枪瞄准一个人，射出的子弹正好打中心脏一样。由于窃贼使用的这种"油"的刺激而带来的动力会增加血液的流量，使得本来就不通畅的血管完全堵塞，接着，生命的源泉就会停止流动了。

医生解开了昏迷不醒的钱德勒的衣服，露出胸膛。他熟练而轻松地把针筒里的液体注射到病人心前区一带皮下的肌肉里。他身兼两职，但不论从事哪种行业，他都做得干净利落。注射完毕，他仔细地把针头擦拭干净，把不使用时堵住针管的细铜丝重新插好。

三分钟后，钱德勒睁开了眼睛，开口说话了，声音虽然还很微弱，但能听得清楚。他问是谁在护理他。詹姆斯医生把自己来到这里的原因又解释了一遍。

"我妻子在哪儿？"病人问道。

"她睡觉了——由于疲劳过度，又焦虑不安。"医生回答，"我不建议叫醒她，除非——"

"没有——没有必要。"钱德勒呼吸短促，说话一顿一顿的，

"你因为我的原因——去打扰她——她不会——感激你的。"

詹姆斯医生把椅子拖到床边，他知道决不能把时间浪费在聊天谈话上。

"几分钟之前，"他开始问道，用上了他另一门职业阴沉严肃而坦率直接的语气，"您曾经试图告诉我关于一笔钱的事情。我不打算得到您的信任，不过，我有义务告诉您，焦虑不安和过分担忧会阻碍您身体的康复。假如您有什么信息要转达——借此宽慰您的心事——关于那两万块钱，我记得这是您提到的数目——您最好说出来。"

钱德勒无法转动脑袋，但他把视线转向了说话人的方向。

"我说了——这笔钱——在什么地方吗？"

"没有，"医生回答道，"我仅仅是推测而已，从您模糊不清的话语中，我觉得您非常关心这笔钱的安全。如果它就在这个房间里的话——"

詹姆斯医生停顿下来。他是不是从病人嘲讽的表情上看到了一丝恍然大悟的神色？他是否看到了一丝怀疑的光芒闪过？他刚刚是不是有些迫不及待了？还是他说得太多说漏了嘴？钱德勒接下来的话让他恢复了自信。

"除了——那边的那个——保险箱，"他气喘吁吁，接着说道，"还能——在哪儿呢？"

他的目光指向房间的一个角落。直到现在，医生才注意到一个小小的铁制保险箱，被窗帘拖曳的下端遮住了一半。

他站起身来，抓住了病人的手腕。病人的脉搏跳动得异常激烈，中间还夹杂着不祥的停顿。

"抬起胳膊。"詹姆斯医生命令道。

"你知道的——我动不了，大夫。"

医生迅速走到通往过道的门前，打开门，听了听外面的动静。万籁俱寂。他不再绕弯子，径直走到保险箱前，仔细检查了一下。保险箱样式老旧，构造简单，只能防防家里手脚不干净的仆人。以他的技巧来说，这跟一件玩具并无差异，相当于稻草和硬纸板糊成的东西，拿到这笔钱易如反掌。他可以用钳子拔出号码钮，钻开制动栓，然后打开保险箱的门，前后用不了两分钟。也许，换另一种方法，只用一分钟就能搞定。

他跪在地板上，把耳朵凑在密码盘上，慢慢地转动旋钮。果然不出所料，这个锁只用了一个组合密码。制动栓转动的时候，他敏锐的耳朵捕捉到了锁芯被拨动的轻微的咔咔声。他对上了那个密码，转动手柄，一把拉开了保险箱。

但保险箱里什么也没有——在空空的铁方格子里，连张碎纸片都没有。

詹姆斯医生站起来，回到病床前。

垂死的人额头大汗淋漓，但是，嘴角和眼睛里都露出了嘲弄而可怕的冷笑。

"我还从来没有——没有见过，"他艰难地说道，"治病救人和——入室抢劫合二为一！你身兼二职——能够双倍赢利——收入不错吧——亲爱的医生！"

詹姆斯医生从未遭遇过眼下这种尴尬局面，也从未经历过比这更能考验他卓越才干的时刻。他这位受害者如恶魔般残忍的幽默，使他陷入一种既荒谬可笑又极不安全的境地。但他还是尽力保持自己的尊严和清醒的头脑。他掏出手表，等待着这个男人死去。

"你对——对那笔钱——未免——太性急了。可是，亲爱的大夫——那笔钱——你永远也——拿不到。它很安全，再安全不过了。那笔钱全部——都在——在赌注经纪人——手里。两万——美金——艾米的钱。我拿去赛马赌掉了——输得精光——一分钱都不剩。我是个败家子，盗贼先生——对不起，我说错了——应该是大夫，但是，我输得光明正大。我想——我还从来没有见过——像你一样——这样一个——表面冠冕堂皇的坏蛋。大夫——对不起,我又说错了——是盗贼先生,我从未见过你这样的人。给受害者——原谅我说错了——是病人——倒一杯水——有没有违背——你们这个行业的——职业道德?"

詹姆斯医生给钱德勒先生倒了一杯水,但他几乎无法吞咽。强烈的药性带来的反应一阵一阵有规律地袭来。但在垂死之际,他还想着再狠狠地嘲弄一下别人。

"赌棍——酒鬼——败家子——这些我都是,可是——一个医生兼窃贼!"

医生对他刻薄的侮辱仅仅用了一句话作为答复。他俯下身子,瞪着钱德勒急剧凝滞的目光,用手指向那位正沉沉入睡的女士的房间;姿势如此严厉而意味深长,连这个奄奄一息、瘫在床上的男人都不得不用尽他剩余的力气,稍稍抬起头来,想看个究竟。结果什么也没有看到,但是,他听到了医生冰冷的话语——这是他临终前听到的最后的声音:

"我还从来没有——打过一个女人。"

要对这种人做出分析研究肯定是徒劳无功的,没有哪一门课程的知识范围能够涵盖他们。人们提起某些人的时候,总是会说"他会做这种事"或者"他会做那种事",他们就是这些人的后裔。我们仅仅知道有这种人存在,而且我们也可以观察他们,议论他们毫不掩饰的种种行为,就像孩子们观看并谈论提线木偶一样。

不过,这两个人,从利己主义的角度考虑,一个是谋财害命的强盗兼杀手,站在他的受害者面前;另一个虽然没有违法乱纪,但行为却更为卑劣,惹人厌恶,他正躺在床上,住在受到他虐待、殴打、迫害的妻子的房间里。这两个人一个是恶虎,一个是豺狼。想象一下,他们互相都觉得对方卑鄙无耻,令人恶心;彼此都罪恶昭著,却还妄图在罪恶的泥潭中向对方炫耀自己纯洁无瑕的行为准则,即使这种准则不关乎荣誉。

詹姆斯医生的一记反驳,肯定击中了对方残余的一丝羞耻之心和身为男子汉的气概,因为这句话成了对他的致命一击。他的脸上涌起一阵暗紫色的潮红——垂死红斑,接着停止了呼吸——钱德勒几乎是一动不动地命归黄泉了。

他刚咽下最后一口气,黑人妇女就把药买回来了。詹姆斯医生一边用手轻轻地按着死者合上的眼睛,一边把结果告诉她。没有悲哀,只是一种对抽象的死亡的概念令她黯然神伤。她抽抽咽咽地流下眼泪,同时还夹杂着一贯的唠叨。

"报应终于来了!这都是上帝的安排。上帝会审判有罪的人,帮助受苦受难的人。现在他该帮我们的忙了。为了买这瓶药,辛迪我已经花掉了最后一个硬币。结果药也没用上。"

"我想问一下,"詹姆斯医生说,"难道钱德勒太太没有钱吗?"

"钱?先生,你知道艾米小姐为什么晕倒,为什么这么虚弱吗?这都是饿的啊,先生。这所房子里除了几块碎饼干外,已经三天没有吃的了。那个小天使几个月前就把自己的戒指和手表都卖了。这栋漂亮的房子,先生,还有那些红地毯、发亮的家具,都是租来的,房东还恶声恶气地催着要租金。那个恶魔——上帝,饶恕我吧——现在,他已经在您的手里得到报应啦!他把家产全都败光了。"

医生的沉默鼓励着她继续说下去,他从辛迪杂乱无章的唠叨中,理出了一个老套的故事,故事交织着幻想、冲动、灾难、残忍以及傲慢。她喋喋不休的话语所展示的模糊的全景图中,有几幅清晰的画面:遥远的南方一个幸福的家庭;一场草率并很快便后悔的婚姻;一段充满侮辱和虐待的不幸生活。而最近,女方得到了一笔遗产,原本可以用来解救自己脱离苦难,没想到却被那个狼心狗肺的东西夺走了,两个月不见踪影,把钱挥霍一空,最后，他喝得醉醺醺的又回来了。在这个混乱模糊的故事中，有一条不太突出但仍可以辨认出来的清晰、洁白的细线——那就是年老的黑人妇女淳朴单纯、忠贞不渝的爱。她坚定不移地追随着自己的女主人，克服一切艰难险阻。

最后，当她终于不再说话时，医生开口了，他问她家里是否还有威士忌或者别的什么烈酒。老女人告诉他，餐具柜里还有那个狼心狗肺的东西喝剩的半瓶白兰地。

"就照我刚才告诉你的那样，准备一份加热水的甜酒，"詹姆斯医生说，"叫醒你的女主人，让她喝下去，然后再告诉她都发生了什么事情。"

大概十分钟后，钱德勒太太在老辛迪的搀扶下走了进来。她睡了一觉，又喝了点热酒，气色看起来好多了。詹姆斯医生用床单把床上的尸体盖住。

这位太太眼睛里半是悲伤，半是惊恐，快速地向床上瞥了一眼，然后往后蹭了蹭。她并没有哭，如今她早已遍尝心酸苦楚，眼泪早已流尽，感情也已经麻木了。

他温柔而简单说了几句：夜已经深了，所以，要找人帮忙恐怕会很困难，他会亲自去找几个合适的人来帮忙料理后事。

"最后还有一件事，"医生指着打开的保险箱说，"您的丈夫，钱德勒先生，在最后时刻知道自己不行了，于是把那个保险箱的组合密码告诉了我，让我把门打开。如果您什么时候要使用它，记住密码是四十一。先向右拧几圈，再向左拧一圈，然后停在四十一这个数字上。他不愿意让我惊动您，尽管他知道自己大限已至。"

"他说在那个保险箱里，他放了一笔钱——数额不大——不过，也足够让您完成他最后的请求了。他希望您回到故乡，等日子过得好一些的时候，请您原谅他对您犯下的种种罪孽。"

他指了指桌子。桌子上放着一叠堆放得整整齐齐的钞票，钞票上还压着两摞金币。

"钱在那里——和他所说的一样——八百三十美元。请允许我留下我的名片,也许以后还有什么我可以帮助您的地方。"

这就是说,他在最后的时刻还是惦记着她的,而且如此周到!又来得这么晚!但是,这个谎言依然在她早已麻木的心中燃起了一点火星,她大声哭喊着"罗伯!罗伯!"然后转过身,扑到身后忠诚的仆人怀里,用泪水洗刷悲伤。值得欣慰的是,在她日后的人生岁月里,凶手的话会像闪烁的星星一样,高悬在她爱人坟墓的上空,给她慰藉,让她原谅,不管当事人有没有请求过她的原谅。

黑人女仆把她搂在怀里,像哄孩子一样,用温柔而模糊的言语安慰她,使她慢慢平静下来。等她终于抬起头来的时候,医生已经走了。

我们选择的道路

在图森西面二十英里的一座水塔旁,"落日号"特快列车正停在那里加水。除了加水,这趟有名的特快列车的车头上,还加了其他一些对它很不利的东西。

就在锅炉工放下抽水管的时候,有三个人爬上了火车头,他们是鲍勃·迪博尔、"鲨鱼"多德森以及有四分之一克里克印第安血统的"大人物"约翰。他们拿着三把枪,现在三个圆口都对准了火车司机。黑洞洞的枪口预示着不详,司机赶忙举起了双手,伴随着这样的动作,往往会有人说:"快说!"

这伙人的老大是"鲨鱼"多德森,他干脆利落地发令,于是,火车司机乖乖地从车上跳下去,将火车头和煤水车卸开。接着,"大人物"约翰蹲在煤堆上,开玩笑似的将两支枪瞄准火车司机和锅炉工,命令他们把火车头开到五十码外的地方,老老实实地待着等候命令。在"鲨鱼"多德森和鲍勃·迪博尔眼里,乘客不过是品质低劣的矿石,根本不值得多费手脚。他们直接冲向这列快车上"富饶的矿坑"。他们发现押运员还自得其乐,满以为"落日号"特快列车只是添加了纯净的清水,而没有加载任何危险、刺激的东西。鲍勃当即用六连发左轮手枪的枪托把这样的念头敲出了那个人的脑袋,与此同时,"鲨鱼"多德森已经用炸药炸开了这列快车的保险箱。

保险箱被炸开后，里面露出了价值三万美金的黄金和钞票。乘客们自在地把头伸出车窗外，看看天空中哪块云彩要打雷。列车员赶紧去拉警铃，但是绳子已经被割断了，一拉就掉了下来。"鲨鱼"多德森和鲍勃·迪博尔把抢到的东西装进一个结实的帆布口袋里，冲出列车朝列车头跑过去。他们穿着高筒靴，跑起来磕磕绊绊的。

列车司机虽然很生气，但是还看得清状况，他老老实实地听从命令，开动火车头，迅速离开那辆动不了了的火车。就在火车头驶离之前，列车押运员清醒过来了，他拿起一把温切斯特步枪，跳出车窗，加入了这边的争斗。坐在煤水车上的"大人物"约翰不经意间错走一着，成了最理想的枪靶，被押运员打了个正着——一颗子弹正好从他的两片肩胛骨中间穿过。这位克里克的勤勉骑士滚落到地上，使他的同伴每人额外增加了六分之一的赃款。

当火车头开到离水塔两英里的地方，司机被赶下了车。

两个强盗泰然自若地向火车挥手道别，然后冲下一个陡峭的山坡，消失在铁路两边的密林里。在茂密的灌木丛中冲冲撞撞了五分钟后，他们来到了一片稀疏的树林里。那里有三匹马拴在低垂的树枝上，其中有一匹是留给"大人物"约翰的。可惜不论是白天还是黑夜，他都再也骑不了马了。两个强盗卸下这匹马的马鞍和笼头，把它放了。他们骑上了另外两匹马，把帆布袋横在其中一匹的鞍头上，谨慎而又迅速地穿过树林，来到一个原始、荒凉的峡谷。这时，鲍勃·迪博尔胯下的坐骑在一块长满青苔的大圆石头上滑了一下，摔断了前腿。他们立刻朝它脑袋上开了一枪，然后坐下来商议怎样逃离此地。他们这一路走得极其迂回曲折，所以，到目前为止，他们还能暂保安全，时间并不紧迫。即便是行动最为迅捷的搜索队，要想追踪而至，在时间和空间上都还相距甚远。"鲨鱼"多德森的马已经松开笼头，缰绳拖在地上，气喘吁吁地沿着峡谷的溪流吃着青草。鲍勃·迪博尔打开帆布口袋，一手拿起一扎扎捆得整整齐齐的钞票，一手抓出一把金币，高兴得像个孩子。

"嗨，你这个双料强盗，"他兴高采烈地招呼多德森，"你说过我们准能办到。你可真有金融头脑，说起做生意，整个亚利桑那州，你真是无人能及啊。"

"你没有马可怎么办啊，鲍勃？我们不能在这儿久留。明天天亮之前他们就会追上来的。"

"噢，我想你那匹印第安种的小马同时驮着我们两个，还能坚持一阵。"生性乐观的鲍勃回答道，"路上我们看到马，就抢一匹。天哪，我们真是发财啦，是不是？看看上面的标签，总共有三万块呢，每人一万五！"

"比我想象的少很多。""鲨鱼"多德森用脚尖轻轻踢了踢那些钱，然后若有所思地看着他那匹疲惫的坐骑，它的肋骨部位已经大汗淋漓了。

"老玻利瓦尔已经快没力气了，"他慢悠悠地说，"真希望你那匹马没有摔伤。"

"我也希望如此，"鲍勃诚心诚意地回答，"可那也是没有办法的事情。玻利瓦尔耐力很好，它能驮着我们两个，直到找到新的坐骑。该死的，鲨鱼，我总是在想这事太奇怪了，你一个东部人来到这里闯荡，做起空手套白狼的生意比我们还厉害。对了，你到底是东部什么地方的人？"

"纽约州。""鲨鱼"多德森说着，在一块岩石上坐下来，嘴里嚼着一根嫩枝，"我出生在阿尔斯特县的一个农场，十七岁时离家出走。我来到西部纯属偶然。我当时背着一个包裹，里面装着我的衣服。我沿着马路走着，一心想到纽约去挣大钱。我觉得我一定能行。有一天傍晚，我走到一个岔路口，不知道该走哪条路。我琢磨了半个小时，然后选择了左边那条。那天晚上，我遇见了一个在乡镇巡回演出西部戏的剧团，后来我就跟着剧团来到了西部。现在我还常常在想，如果当时我选择了另一条道路，我的人生会不会有所不同。"

"噢，我估计到头来你还是现在这个样子。"鲍勃·迪博尔轻松地说出了一句颇有哲理的话，"关键不在于我们选择了哪条道路。我们最终成为什么样的人，是由我们内在的本性决定的。"

"鲨鱼"多德森站起身来，靠在一棵树上。

"鲍勃，我真希望你那匹马没有摔伤。"他又说了一遍，语气中似乎有些伤感。

"我也不愿这样啊，"鲍勃表示同意，"它绝对是匹上等的好马。不过我们还有玻利瓦尔，它肯定能帮我们渡过难关的。我想我们该动身了，是不是，鲨鱼？我把钱重新装好，我们这就出发，去找个更安全的地方吧。"

鲍勃·迪博尔把赃款又放回袋子里，用绳子把袋口扎紧。再抬起头时，他看到了一个令人触目惊心的东西——"鲨鱼"多德森那支四五口径的手枪黑洞洞的枪口，正一动不动地瞄准自己。

"别开玩笑了，"鲍勃咧着嘴说，"我们还得抓紧赶路呢。"

"别动，""鲨鱼"说，"你不用赶路了，鲍勃。我真的不愿这样做，但却不得不告诉你，我们中只有一个人能逃出去。玻利瓦尔已经累坏了，它驮不动两个人。"

"多德森，三年来我们一直都是搭档，"鲍勃平静地说，"我们一起出生入死也不是一次两次了。我们之间的交易一直很公平，我也当你是个男人，不会耍小手段。虽然我听说过关于你的不好的传闻，说你曾经杀死过一两个人，但是我从来没有相信过。现在如果你是和我开玩笑的话，就把枪收起来，我们一起骑着玻利瓦尔，赶紧离开这里。如果你真的想要杀死我，那就开枪吧，你这只毒蜘蛛养大的黑心家伙！"

"鲨鱼"多德森脸上露出哀伤之情，叹了口气说："你不知道你那匹栗色马摔断了腿，我心里有多难过，鲍勃。"

一瞬间，多德森脸上的神情又变得杀气腾腾的，里面还带着冷酷和贪婪。这个人显露了一会儿自己的本性，就像是一间正派人家的房子，窗口上突然出现了一张狰狞可怕的面孔。

确实，鲍勃·迪博尔再也不用赶路了。他那位背信弃义的朋友的四五口径的手枪发出了致命的一声巨响，峡谷四面传来愤愤不平的回声。而玻利瓦尔，这个不明真相的帮凶，免去了"驮两个人"的重压，驮着"落日号"特快列车的最后一个强盗飞驰而去。

就在"鲨鱼"多德森疾驰的时候，他眼前的树林似乎在逐渐消失，他右手握着的左轮手枪变成了红木椅子弯曲的扶手，马鞍居然装上了奇怪的软垫。他睁开眼睛，看见自己的双脚并没有踩在马镫上，而是安安静静地搁在一张橡木办公桌的角上。

我方才说到，多德森——多德森·德克公司的老板，华尔街经纪人——睁开了眼睛。机要秘书皮博迪正站在他的椅子旁边，犹豫不定地想要说些什么。楼下传来一片嘈杂的车轮声，屋子里的电风扇发出催人入睡的"嗡嗡"声。

"啊！皮博迪，"多德森眨了眨眼睛，"我准是睡着了。我做了一个非常奇怪的梦。有什么事吗，皮博迪？"

"特雷西·威廉斯公司的威廉斯先生正在外面等着。他是来结算那只X·Y·Z股票的。他想卖空，结果被套住了。您大概还记得吧，先生？"

"没错，我记得。X·Y·Z今天报价多少，皮博迪？"

"每股一块八毛五，先生。"

"那就按这个价格结吧。"

"对不起，我想说一句，"皮博迪神色非常紧张，"我刚和威廉斯先生谈过，他是您的老朋友，多德森先生，而您实际上已经垄断了X·Y·Z的股票。我想您也许——我的意思是，您也许不记得了,当时他卖给您的价格是九毛八。要是按现在的报价结账,恐怕他得倾家荡产了。"

瞬间,多德森又露出了杀气腾腾的凶相,还夹杂着冷酷与贪婪;这个人的本性显露了一会儿,就像表面看上去是正派人家的房子,窗口上却突然出现了一副狰狞的面孔。

"他必须按一块八毛五结账,"多德森说,"玻利瓦尔驮不动两个人。"

艺术良心

"到最后我也没能说服我的搭档安迪·塔克，让他遵守我们诈骗这个行业的职业道德。"有一天，杰夫·彼特斯这样对我说。

"安迪的想象力实在是太丰富了，让人觉得不诚实，他总能想出各种不正当却又很巧妙的骗钱方法，那些方法甚至在《铁路扣税制度》里都找不到。

"我和他不一样，我拿了别人的钱，总会给别人一些东西作为回报，比如说镀金首饰、花籽、止疼药水、股票证券、灶台清洁剂，或者把他们的脑袋砸破也行。拿了人家的钱，总得给人家留下点回报。我想我的祖先可能是新英格兰人，他们对警察的畏惧感多少遗传给了我一些。

"可是，安迪的家族史就不大一样。我想他的家族史就跟一家股份有限公司的历史一样短，没什么可供传承的。

"有一年夏天，我们在西部的俄亥俄河流域做买卖，推销家庭相册、头痛粉、蟑螂药。安迪脑海中灵光一闪，想到了一个能赚大钱的好办法，但是有可能会惹上官司。

"'杰夫'，他说，'我一直在想，我们不应该只打这些乡下人的主意，而应该转移到更赚钱、更有出息的事情上去。总是在这些农民身上赚小钱，会被人归入到初级骗子的行列中。我们应该到四处都是高楼大厦的城市里去，应该在大雄鹿的胸脯上咬一

口,做笔大买卖,你觉得呢?'

"'算了吧'我说,'你知道我的脾气,我宁愿继续我们现在这个合法的买卖,拿了别人的钱,就得给人家留点实在的东西,让他们看得见摸得到,省得总找我的麻烦。哪怕留下的东西不值钱而且可能给他们带来麻烦。你有什么好主意,安迪,说说看,我并不是只玩小骗局的,要是能够多赚点钱的话,我也不反对。'

"'我想,'安迪说,'去会会那一大群美国"迈达斯",也就是通常被称做"匹兹堡百万富翁"的人。不用猎号,也不带猎狗,甚至不用照相机。

"'在纽约吗?'我问道。

"'不,'安迪说,'在匹兹堡。那里才是这些百万富翁的聚居地。他们不喜欢纽约,只在不得已的时候才偶尔去玩玩。'

"'匹兹堡的百万富翁到了纽约,就像是苍蝇掉进了滚烫的咖啡里,总能引起人们的注意,并被人指指点点;但是苍蝇自己却感觉不出咖啡的味道。纽约到处都是鬼鬼祟祟的势利小人,那些富翁在这里花钱,还遭人议论,说他们花得冤枉。其实他们的花销并不是很大,有个身价一千五百万的匹兹堡人在这个徒有虚名的商业中心住了十天,我亲眼看见过他的账单。账目是这样的:

往返火车 21 元,
出入旅馆的交通费 2 元,
旅馆住宿费每天 5 元,共 50 元,
小费 5750 元,
总计 5823 元。

"'纽约就是这样的地方,'安迪接着说,'纽约市就像个餐厅的侍者领班。你给的小费要是多得出了格,他就会跑到门口,跟保管衣帽的服务员拿你开心。因此,匹兹堡人想花钱买高兴时,

总是留在本地。所以，我们得到那里找他们。'

"长话短说，我和安迪把我们的巴黎绿、安替吡啉药粉和相册存放在一个朋友的地下室里，随后便动身去了匹兹堡。安迪还没做好计划，没有说是采用欺诈手段，还是使用暴力。但他不管什么时候都信心十足，做缺德生意的天赋使他总是能够随机应变、从容应对。

"他知道我做事保守，品行端正，因而作出了让步。他提出，无论我们两人合作做何种非法买卖，只要我尽心竭力，他就保证拿了人家钱后，一定让人家能得到触觉、视觉、味觉、嗅觉所能感知的实实在在的东西，好让我在良心上也能过得去。他做出这种承诺后，我终于踏实下来，轻松愉快地参与了骗局。

"我们在史密斯菲尔德大街的煤渣路上闲逛，路上有很重的雾气。我问道：'安迪，你想出办法没有，我们要怎么去结识那些煤炭大王和生铁巨头？并非我看不起自己，长别人志气，灭自己威风，'我说，'但是，要混进那群抽着高档雪茄的人的沙龙里，恐怕没你想的那么简单吧？'

"'要说真有什么困难的话，'安迪说，'那就是我们的文化修养比他们高。匹兹堡的百万富翁们都是些诚恳单纯、行事低调、讲究民主的人。'

"'他们态度粗俗，表面上好像高高兴兴、不拘小节，实际上什么礼貌和规矩都不懂。他们大都出身卑微，'安迪说，'除非这个城市不再有那么多雾气，否则他们仍会生活在卑微之中。只要我们态度随和，不装模作样，不有意疏远，经常引起他们的注意，就像钢轨进口税那样，要和那些富翁相识交往毫无困难。'

"就这样，安迪和我在城里逛了三四天，搜集情报。我们已经知道了几个百万富翁长什么模样。

"有一个富翁总是把他的汽车停在我们住宿的酒店门口，让人拿一夸脱香槟酒给他。侍应生拔掉瓶塞,他就凑着瓶口喝。这说明他发财之前有可能是个吹玻璃的工人。

"一天晚上,安迪没有回酒店吃饭,直到夜里十一点,他才来到我的房间。

"'找到了一个,杰夫,'他说,'身价一千二百万,拥有油田、轧钢厂、房地产、天然气等产业。这个人很好,完全没有架子,最近五年才发的财。现在他聘请了好几位教授帮他补习文学、艺术,教他服装打扮之类的东西。'

"'我看见他的时候,他正和钢铁公司的一位老板打赌,说阿勒格尼轧钢厂今天准有四个人自杀,结果赢了一万块钱。在场的人拥着他到酒吧,让他请客喝酒。他一眼就看中了我,请我吃晚饭。我们去了钻石巷的一家餐厅,坐在高脚椅上,喝了起泡的摩泽尔葡萄酒,吃了蛤蜊羹和油炸苹果派。

"'吃完饭后,他带我去看他在自由街上的单身公寓。那套公寓有十个房间,在海鲜市场楼上,第三层还有洗澡的地方。他告诉我,仅装修就花了一万八千块,我觉得差不多是这个价钱。

"'有一个房间收藏的油画价值四万元,另一个房间则收藏着价值两万元的古董古玩。这个人姓斯卡德,四十五岁,正在学钢琴。他的油井每天产出一万五千桶原油。'

"'好吧,'我说,'能认识这个人很让人满意。可又有什么用呢?他收藏的名画古董与我们有什么关系?油井出原油又和我们有什么关系?'

"安迪坐在床边,想了一会儿,说:'嗯,这个人并不是简单的附庸风雅的人。他带我去看房间里的艺术品时,红光满面,神采飞扬,就像炼焦炉门一样。他说:只要他的几笔大买卖能做成,不论是J·P·摩根收藏的挂毯,还是缅因州奥古斯塔的珠宝,都会相形见绌,只能算是小巫见大巫。'

"'然后,他给我看了一件小雕刻,'安迪接着说,'谁都看得

出那是一件珍品。他说那件东西大约是两千年前的文物,是从整块象牙中雕刻出的一朵莲花,莲花中间有一个美女的头像。'

"'斯卡德查阅了一本清单,上面有相关记载。很久以前,埃及有一位名叫哈夫拉的雕刻家做了一对献给拉姆泽斯二世。另一件已经不知去向了。旧货商和古玩商找遍了整个欧洲,但都没有找到。现在这件是斯卡德花了两千块钱买来的。'

"'哦,行啦,'我说,'这些话我听着就像是小溪的流水声一样毫无用处。我原以为我们来这儿是要给那些富翁上课,而不是来向他们学习艺术知识。'

"'别着急,'安迪满不在乎地说,'我们马上就能动手了。'

"第二天,安迪在外面待了一上午,直到中午才回来。他一回到酒店,就把我叫进他的房间,从口袋里掏出一个鹅蛋大小的圆圆的包裹。打开一看,里面是一件象牙雕刻,和他给我讲的百万富翁的那个收藏品一模一样。

"'我刚才去了一家当铺,'安迪说,'看见这个东西压在一大堆古剑和旧货下面。当铺老板说这玩意已经在他店里放了好几年,大概是住在河下游的阿拉伯人、土耳其人,还是什么别的国家的人当的,到期未赎,成了死当。'

"'我出两块钱向他买,但我准是神情过于急切,让老板发现了。他说出价不到三十五元,就等于从他儿女嘴里抢夺面包。最终,我们以二十五元成交。'

"'杰夫,'安迪又说,'这东西和斯卡德收藏的正好是一对,一模一样。他准会二话不说就把它买下来的。谁能肯定这不是那个老吉普赛人雕刻的另一个真货呢!'

"'这倒没错,'我说,'那我们怎么让他上钩,使他能乖乖地自愿来买呢?'

"安迪早就成竹在胸,我来说说我们是怎样做的吧。

"我戴上一副蓝眼镜,穿上黑色礼服,把头发揉得乱蓬蓬的,化身为皮克尔曼教授。我到另一家酒店登记开房，又给斯卡德发了一封电报，约他立即前来见面，商谈有关艺术的事情。不到一个小时，他就赶到酒店，上了电梯，来到我的房间。他嗓门粗犷，其貌不扬，身上带着康涅狄格州雪茄烟和石脑油的味道。

"'你好，教授！'他大声嚷道，'生意如何？'

"我揉了揉已经乱蓬蓬的头发，从蓝镜片后面瞪了他一眼。

"'先生，'我说，'您是宾夕法尼亚州匹兹堡的科尼利厄斯·T·斯卡德吗？'

"'是的，'他回答道，'出去喝杯酒吧。'

"'我没有时间，也没有胃口，'我说，'喝酒对身体没有好处，我从不以此为消遣。我从纽约来，是想和您谈谈生意——哦，有关艺术的事情。'

"'我听说您有一件拉姆泽斯二世时期的埃及象牙雕刻，雕的是一朵莲花，托着伊西斯皇后的头像。这件作品本来是一对的，其中一件已经失踪多年了。最近我在维也纳一家当铺——哦，是一家不太出名的博物馆里发现了它，买了下来。您收藏的那件我也想买下来，请开个价吧。'

"'天啊，教授！'斯卡德说，'你找到另一件了吗？你要买我的？不，我科尼利厄斯·斯卡德收藏的东西是不会卖的。你那件雕刻带来了吗，教授？'

"我把东西拿出来给斯卡德看，他翻来覆去地细细观察。"

"'没错，'他说，'和我那件一模一样，每个线条都分毫不差。我是这样想的，'他说，'我不会卖的，但是我想买。这样吧，我出两千五百块买你的。'

"'既然您不卖，那我就卖了吧，'我说，'一手交钱一手交货，我不喜欢啰嗦。而且今晚我就得回纽约。明天我还要赶到水族馆去讲课。'

"斯卡德开了张支票，由酒店兑成了现金。他带着那件古董走了，我按约定赶紧回到安迪的酒店。

"安迪在屋子里走来走去，不停地看表。

"'怎么样？'他问道。

"'两千五百块，'我回答，'现款。'

"'还有十一分钟，'安迪说，'我们得赶上巴尔的摩到俄亥俄的火车。快去拿你的行李。'

"'干吗这么着急？'我问道，'这桩买卖很规矩。即使是赝品，他一时半会也发现不了。何况他好像认准了那是真货。'

"'是真货，'安迪说，'就是他家里那件。昨天我在他房间里看古董时，他出去了一会儿，于是我就顺手牵羊拿了回来。你赶快去拿行李，我们出发吧。'

"'可是，'我说，'你说是在当铺里找到的……'

"'哦，'安迪回答，'那是为了尊重你的艺术良心。走吧！'"

重获新生

吉米·瓦伦汀正在监狱中的制鞋车间里认真地缝着鞋帮，一名守卫走了进来，将他护送到前楼的办公室。典狱长把当天早晨由州长签署的赦免状递给他。吉米接过赦免状，神情有几分抑郁。他原本被判了四年徒刑，到现在已经蹲了快十个月，而他曾经以为最多也就在监狱里待三个月。像吉米·瓦伦汀这样在外面交友非常广泛的犯人，进了监狱后头发都没有必要剃光。

"嗨，瓦伦汀，"典狱长说，"明天早上你就可以出去了。振作起来，像个男人。你这人心地并不坏，以后别撬保险箱了，老老实实地过日子吧。"

"是说我吗？"吉米满脸诧异地回答，"什么？我活到现在从来没有撬过保险箱。"

"当然没有，"典狱长笑了，"从没有撬过。让我想想，那你怎么会因为斯普林菲尔德的那个案子被抓进来？是不是你担心连累某位上流社会中的人士，所以故意不出示能证明自己当时不在现场的证据？还是因为卑劣的陪审团故意和你作对？你们这些自称清白的罪犯，无外乎就这么几个理由。"

"我怎么了？"吉米仍然一副茫然无辜的样子，回答道，"哎，典狱长，我这辈子还从来没有到过斯普林菲尔德呢！"

"把他带回去吧，克罗宁，"典狱长微笑着说，"给他准备好出去穿的衣服。明天早上七点,把他放出去,现在把他带到大囚室。你最好重新考虑一下我的劝告,瓦伦汀。"

第二天早上七点一刻,吉米已经站在典狱长的大办公室里了。他穿着一套现成的衣服,很不合身,皮鞋非常不舒服,走起路来"咯吱咯吱"响。这身装扮是政府为释放那些被强制留下的客人而免费供给的。

一个工作人员递给他一张火车票和一张五元的钞票,法律期盼他靠这笔钱改过自新,重新做人,成为一个安分守己的好公民。典狱长递给他一支雪茄,和他握手告别。瓦伦汀,九七六二号,档案上注明了"州长赦免"的字样。随后,詹姆斯·瓦伦汀先生便步入了阳光明媚的世界。

吉米无心欣赏外面鸟语花香、绿树婆娑的美景,径直走到一家饭馆。他在那儿尝到了自由的甜美和喜悦:一只烤鸡,一瓶白葡萄酒,还有一支比典狱长给他的要高出一个档次的雪茄。从饭馆出来后,他从容地走到车站。火车站门口有一个行乞的盲人正坐在地上。他把一枚二十五美分的银币扔进盲人面前的帽子里,然后搭上了火车。三个小时后,火车把他带到州界线附近的一个小镇上。他下了车,来到迈克·多兰的咖啡馆里,和独自守在吧台后面的迈克握了握手。

"真对不起,伙计,我们没能早点把你从里面弄出来。"迈克说,"斯普林菲尔德那边提出抗议,我们忙着应付,连州长都差点撒手不管了。你还好吗?"

"还好,"吉米说,"把钥匙给我吧?"

他拿了钥匙上楼,打开后面的一个房间,一切都还是他离开时的样子。当那位有名的侦探本·普赖斯带人以武力逮捕他时,侦探衬衫上的一颗纽扣被扯了下来,而现在,纽扣还在地板上。

吉米把贴在墙上的折叠床放下来,又推开墙壁上的一块暗板,取出一个布满灰尘的手提箱。他打开箱子,爱惜地看着那套东部地区最好的盗窃工具。那是一套用特种钢材定制打造的完整工具，包括钻头、冲孔器、手摇钻、螺丝钻、钢撬、夹钳，都是最新的设计。还有两三件工具是吉米自己发明的，他为此感到十分自豪。这套工具花了他九百多元，在一个专门为干这一行当的人制造工具的地方订做的。

半个小时后，吉米走下楼来，穿过咖啡馆。现在，他穿着一套精致合体的衣服，手里提着那个擦拭得干干净净的箱子。

"你又想干点什么吗？"迈克·多兰语气亲切地问道。

"我？"吉米用疑惑的声调回答，"我不清楚，我现在是纽约饼干麦片联合公司的推销员。"

迈克听了非常高兴，非要请吉米留下来喝一杯牛奶苏打——吉米从不碰酒精饮料。

就在瓦伦汀（九七六二号）出狱一个星期后，印第安纳州的里士满发生了一起保险箱盗窃案，案子干得非常漂亮，没有留下一点蛛丝马迹。失窃数目并不大，总共才八百元。过了两个星期，洛根斯波特又有一个新式防盗保险箱被轻而易举地打开了，失窃现金一千五百元，但证券和银器却完好无损。这引起了警方的注意。接着，杰斐逊城一个老式的银行保险箱被盗，丢失了高达五千元的现金。现在失窃的数字已经很高了，本·普赖斯不得不参与调查。经过交流意见，他发现这几起盗窃的方式惊人的相似。本·普赖斯在作案现场进行了调查，之后宣布：

"这是'花花公子'吉米·瓦伦汀所为，他又重操旧业了。看看那个暗码旋钮，就像潮湿天气里的萝卜一样被人轻易地拔了出来，而这只有他的钳子才能办到。再看看这些锁栓，钻得多么干脆利落！吉米一向只要钻一个孔就能搞定。没错，我想我得找到瓦伦汀先生。下次不会再有什么减刑或者赦免的事了，他得在监狱里一直蹲到刑满才行。"

本·普赖斯了解吉米的习惯。他在调查斯普林菲尔德的案子时就熟悉了：吉米跑得远、脱身快、独来独往，并且喜欢和上流社会的人交朋友。这些伎俩使瓦伦汀总能成功地逃避惩罚，并因此而闻名。本·普赖斯在追踪这个神出鬼没的保险箱窃贼的消息传出去后，有保险箱的人家才安心了一些。

一天下午，吉米·瓦伦汀带着他的手提箱乘邮车来到艾尔摩尔。艾尔摩尔是位于阿肯色州黑皮橡树林区的一个小镇，离铁路有五英里远。吉米看上去就像是一个刚从学校回家来的精神饱满的高年级学生，正沿着宽阔的人行道朝旅馆走去。

一位年轻姑娘穿过街道，在拐角处与他擦肩而过，走进一个大门，门上挂着的招牌上写着"艾尔摩尔银行"。吉米·瓦伦汀死死地盯着姑娘的双眸，忘了自己是谁，仿佛成了另一个人。她垂下眼睑，脸上泛起一阵红晕。在艾尔摩尔，像吉米这样有风度又英俊的小伙子还真不多见。

银行门口的台阶上，有个男孩正在闲逛，好像自己是银行股东似的。吉米缠住他，向他打听这个小镇的情况，不时给他几枚银币。不一会儿，那位姑娘出来了，装做没有看见这个提箱子的男人，自顾自地走了。

"那个姑娘不就是波莉·辛普森小姐吗？"吉米狡黠地问道。

"不，"小孩说，"她是安娜贝尔·亚当斯。这家银行就是她父亲开的。你来艾尔摩尔干什么？这表链是不是金的？我就要有一条哈巴狗了。再给我点钱好吗？"

吉米来到农场主旅馆，用拉尔夫·迪·斯潘塞的名字登记，开了一个房间。他靠在柜台上，对旅馆职员说明了来意。他说他来艾尔摩尔是想找个地方做生意，不知道这个小镇的制鞋业怎么样，是否有机会发展。

旅馆职员对吉米的衣着和风度深为赞赏。在艾尔摩尔，他也算是个打扮入时的青年，但是现在，他从吉米身上看到了自己的差距。他一面琢磨吉米的活结领结的打法，一面热心地提供信息。

是啊，鞋子生意应该有很好的机会。镇上还没有专门的鞋店，绸缎庄和百货商店卖鞋的生意都还不错。他希望斯潘塞先生能决心在艾尔摩尔安顿下来，而且断定他将发现住在这个小镇上非常舒适，小镇的居民都很热情好客。

斯潘塞先生认为，不妨在镇上逗留几天，了解了解情况再说。不，不必叫服务员了，他可以自己把手提箱拎上去，箱子相当沉。

一阵猝不及防的爱情之火把吉米·瓦伦汀烧成了灰烬。从灰烬中重生的金凤凰拉尔夫·斯潘塞先生在艾尔摩尔安顿了下来，一切如意。他开了一家鞋店，生意十分兴隆。

在社交方面，他也获得了成功，结交了许多朋友。而且，他还实现了自己的愿望：结识了安娜贝尔·亚当斯小姐，并越来越对她感到着迷。

一年后，拉尔夫·斯潘塞先生的状况是这样的：他赢得了当地人士的尊敬，鞋店的生意也兴旺发达，他和安娜贝尔已经决定在两个星期后结婚。亚当斯先生是个兢兢业业的乡村银行家，他很器重斯潘塞。安娜贝尔不仅爱他，并且以他为荣。斯潘塞在亚当斯一家和安娜贝尔已经出嫁的姐姐家都很受欢迎，仿佛已经成了他们的家庭成员。

一天，吉米坐在他的房间里写了一封信，寄往他在圣路易斯的一个老朋友的安全可靠的地址。信的内容如下：

亲爱的老朋友：

我希望你在下星期三晚上九点能赶到小石城沙利文那里。我要请你帮我料理一些小事。同时，我想把我那套工具送给你。我知道你一定会很高兴地接受的，你花一千块都复制不出一套。哎，比利，我一年前就已经金盆洗手，不干那一行了。我开了一家很好的店铺，如今过着老实本分的生活。两个星期后，我将与这个世界上最好的姑娘结婚。比利，正直的生活才是生活。现在即使给我一百万，我也不会再去碰人家的一块钱了。等我结婚后，我打算把铺子盘出去，然后去西部，那里被翻旧账的危险比较小。我告诉你，比利，她是一个天使。她信任我，无论如何我也不会再干偷鸡摸狗的事情了。你一定要到沙利文那里去，因为我必须见到你。工具我随身带去。

你的老朋友
吉米

就在吉米寄走这封信的星期一晚上，本·普赖斯乘坐一辆租来的马车，悄悄来到了艾尔摩尔。他不露声色地在镇上四处闲逛，终于打听到了他想知道的一切。他在斯潘塞鞋店对面的药房里，仔细观察着拉尔夫·迪·斯潘塞。

"你快和银行家的女儿结婚了，是不是，吉米？"他轻声地自言自语道，"嘿，能不能成我还不知道呢。"

第二天早晨，吉米在亚当斯家里吃早饭。当天他要到小石城去订做结婚礼服，再给安娜贝尔买些好东西。这还是他来到艾尔摩尔后第一次出门。此时，距他最后一次从事专业"工作"，已经一年多了，他觉得冒险出一次门应该不会有什么问题。

早饭后，一家人浩浩荡荡地来到闹市区：亚当斯先生、安娜贝尔、吉米、安娜贝尔已经出嫁的姐姐及其两个女儿，一个五岁，一个九岁。他们路过吉米仍旧住着的旅馆，吉米上楼从他的房间拿了手提箱。随后，一行人继续向银行前进。吉米的马车就停在银行门口，马车夫多尔夫·吉布森等他一出来，就送他去火车站。

大家一起走进银行营业室的雕花橡木栅栏里，吉米也进去了。作为亚当斯未来的女婿,他到哪里都很受欢迎。职员们都乐于接近这位即将和安娜贝尔小姐结婚的仪表堂堂、和蔼可亲的年轻人。吉米放下手提箱。安娜贝尔充满了幸福感和青春的悸动,她戴上吉米的帽子,拎起手提箱,说:"看我像不像一个旅行推销员?哎呀!拉尔夫,怎么这么沉呀!里面好像装满了金砖。"

"装着许多包镍的鞋拔,"吉米淡淡地说,"我准备还给别人。我想自己带着,可以省下快递费。我最近越来越节俭了。"

艾尔摩尔银行最近刚刚安装了一个新式保险库。亚当斯先生对此感到非常得意,坚持要大家都进去看看。保险库不大,但是装了一扇独创的大门。门上装有一个定时锁,还配有三道用一个把手就能同时开关的钢闩。亚当斯先生得意地向斯潘塞先生讲解它的构造和操作,斯潘塞面带微笑地听着,似乎不大感兴趣。梅和阿加莎这两个小女孩,看见闪闪发亮的金属、古怪的时钟装置和旋钮,都兴奋不已。

就在大家欣赏新式保险库的时候,本·普赖斯走了进来,将胳膊肘支在柜台上,有意无意地向栅栏里张望。他对出纳员说他什么都不需要,只是在等一个熟人。

突然传来了女人的几声尖叫,大家顿时乱成一团。原来,趁大人不注意,九岁的梅出于好奇,把阿加莎关进了保险库,最后又学着亚当斯先生的样子,关上钢闩,扭动暗码盘,把门锁死了。

老银行家一下子跳上前去,扳动把手。"门打不开了,"他痛苦地说,"定时锁没有上发条,暗码盘也没有对准。"

阿加莎的母亲歇斯底里地哭叫起来。

"嘘!"亚当斯先生举起发抖的手说,"大家都静一静,阿加莎!"他大声嚷道,"听我说!"在接下来的寂静中,他们隐约听到那孩子在漆黑的保险库里吓得狂叫的声音。

"我的小宝贝!"她的母亲哀叫道,"她会吓死的!开门!天啊，把门砸开！你们这些男人就不能想点办法吗？"

"要找人打开这扇门，最近也要到小石城。"亚当斯先生的声音有些颤抖，"老天！斯潘塞，我们该怎么办？孩子在里面坚持不了多久，里面空气不够，而且她会被吓坏的。"

阿加莎的母亲发疯似的用双手捶打着保险库的门。有人昏了头，甚至提议用炸药把门炸开。安娜贝尔转向吉米，一双大眼睛里充满了焦急，但并没有绝望。对于一个女人来说，她所崇拜的男人是神通广大的。

"你能想想办法吗，拉尔夫？试试看，好吗？"

他盯着她，嘴唇和眼睛里流露出一丝古怪而柔和的笑容。

"安娜贝尔，"他说，"把你戴着的那朵玫瑰给我，好吗？"

她以为自己听错了，但还是从衣服的胸襟上取下了那朵含苞待放的玫瑰，放到他的手里。吉米把花插进马甲的口袋，脱去上衣，卷起衬衫袖子。就在这一刻，拉尔夫·迪·斯潘塞不见了，他又变成了吉米·瓦伦汀。

"大家从门口闪开。"他简单地命令道。

他把手提箱往桌子上一放，将箱盖打开。从那一刻开始，他如入无人之境，敏捷而有条不紊地把那些古怪奇特、闪闪发亮的工具摆出来，还轻轻地吹起了口哨——他平时干活就是这样。周围的人鸦雀无声，一动不动地看着他，都好像着了魔一样。

不出一分钟，吉米心爱的钢钻已经顺利地钻进了钢门。十分钟后，他打开钢闩，拉开了门——这个速度打破了他自己的盗窃纪录。

阿加莎几乎瘫倒在地，但终于安然无恙地回到了她母亲的怀抱。

吉米·瓦伦汀穿好外衣，快步走出栅栏，向前门走去。半途中，他隐约听到一个熟悉的声音在遥远的地方喊着"拉尔夫"，但他并没有停顿。

银行门口,一个高大的人影几乎挡住了他的去路。

"喂,本!"吉米说道,脸上还带着那种奇怪的微笑,"你终于来了,是吗?好了,我们走吧。我现在也觉得无所谓了。"

可是,本·普赖斯的举动却有些奇怪。

"你认错人了吧,斯潘塞先生,"他说,"我可不认识你,你的马车在等着你呢,不是吗?"

本·普赖斯转过身,沿着大街信步走开了。

女巫的面包

玛莎·米切姆小姐在街道拐角处开了一家小面包店（就是那家你走三个台阶上去，开门的时候门铃还丁铃铃响的那家）。

玛莎小姐今年四十岁，银行里有两千元的存款，她还有两颗假牙和一颗充满同情的心。那么多的女人都结过婚，但是她们的条件都远不如玛莎小姐。

有一位顾客每周都会来店里两三次，玛莎小姐渐渐对他产生了兴趣。他是个中年人，戴眼镜，蓄着修剪整齐的棕色胡子。

他讲的英语里带着浓重的德语口音，身上的衣服已经旧了，有的地方还打着补丁，有的地方皱巴巴、松松垮垮的。但是他看上去很整洁，也很有礼貌。

他每次总会买两条陈面包。鲜面包五分钱一条，而陈面包五分钱两条。他每次来都只要陈面包，从没买过其他东西。

有一次，玛莎小姐注意到他的手上有一块红褐色的污渍，于是她立刻判定他是一个穷困的艺术家。毫无疑问，他准是住在阁楼里，在那里一边画画，一边啃着陈面包，脑子里还想着玛莎小姐面包店里的其他好东西。

每当玛莎小姐坐下来享用她的牛排、面包卷、果酱，还喝着红茶的时候，她总会叹一口气，希望那位非常绅士的艺术家能与她一起分享美食，而不是一个人在四面透风的阁楼里啃着干面包。玛莎小姐的心，正如我前面提到的，很容易同情别人。

为了验证自己对他的状况的推断，有一天，她特意把一幅之前从拍卖会上买来的油画从房间里拿出来，放在柜台后面的架子上。

那是一幅威尼斯风景画。画面前景是一座壮丽的大理石宫殿（画上是这样标明的），更确切的说，是一座水中的宫殿倒影。此外，油画的其他部分还画着几条平底小船（船上有一位老太太把手伸进水里，水中泛起阵阵涟漪），以及云彩、天空和很多明暗对比的笔触。艺术家是不会对这样的东西视而不见的。

两天后，这位顾客又来了。

"请给我两个陈面包。"

"夫人，这幅画很不错。"她为他切面包的时候，他这样说道。

"是吗？"玛莎小姐说，她见自己的计策成功了，心里十分高兴，"我的确很欣赏艺术和——"不，现在不能说艺术家，为时尚早，"和绘画。"她改口说道，"您觉得这幅画还不错吗？"

"这座宫殿，"顾客说，"画得不是很好，透视法用得不够真实。夫人，再见！"

他拿起面包，欠身告辞，急匆匆地走了。

没错，他准是一个艺术家。玛莎小姐把画搬回自己的房间里。

镜片后面的目光是多么温柔，多么和善！他的前额多么宽阔！一眼就可以判断透视法的好坏——可却要靠吃陈面包度日！不过，天才在成名之前，往往要经历一番苦难，经过一番奋斗。

假如天才有两千元银行存款、一家面包店和一颗多情的心在背后默默支持，艺术和透视法将能取得多么辉煌的成就啊——但这不过是场白日梦罢了，玛莎小姐。

之后，每当这位顾客来到店里的时候，都会隔着货柜和玛莎小姐聊一会儿。他似乎渴望听到玛莎小姐那令人愉快的话语。

他仍然一直买陈面包,从没买过蛋糕、馅饼,或是她店里其他美味的糕点。

她觉得他更加消瘦了,神情也有些颓废。她心疼得真想在他买的寒酸的食物里加上一些好吃的东西,但又没有勇气那样做。她不敢冒犯他,她了解艺术家清高的心理。

玛莎小姐开始穿着那件蓝点的丝质背心站在柜台后面卖面包。她在后房熬制了一种神秘的草籽和硼砂的混合物。很多人都用这种汁水养颜美容。

有一天,那位顾客又像往常那样来了,他把五分镍币放在柜台上,要买陈面包。就在玛莎小姐去拿面包的时候,外面响起一阵嘈杂的喇叭声和尖利的警笛声,接着,一辆消防车隆隆驶过。

那位顾客跑到门口去张望,遇到这种事情,谁都会这样做的。玛莎小姐灵机一动,抓住了这个难得的机会。

柜台后面最下方的一层货架上放着一磅新鲜黄油,送牛奶的人拿来还不到十分钟。玛莎小姐用切面包的刀子把两个陈面包都切开一条深深的口子,很慷慨地各塞进一大片黄油,再把面包紧紧地压好。

当顾客转身回来的时候,她已经用纸把面包包好了。

两人极其愉快地聊了一会儿,顾客便离开了。玛莎小姐不由自主地偷笑起来,不过心里仍不免有些忐忑。

她是不是太冒昧了?他会不会生气呢?绝对不会的。食物并不代表语言,黄油也并不象征有失大家闺秀身份的唐突行为。

那天,她心里一直惦记着这件事。她一直想象着他发现面包里的黄油时,会是怎样的情景。

他放下画笔和调色板。画架上支着他正在画的一幅油画,那幅画的透视法肯定运用得无可挑剔。

他拿起干面包和清水当午饭。他切开一个面包——啊!

想到这里,玛莎小姐的脸上不禁泛起了红晕。他在吃面包的时候,会不会想到那只把黄油塞进去的手呢?他会不会——

前门的铃铛刺耳地响了起来。有人闹闹嚷嚷地走了进来。

玛莎小姐急忙赶到店堂里,只见两个男人站在那里。其中一位是叼着烟斗的年轻人——她以前从未见过,另一位就是她的艺术家。

只见艺术家的脸涨得通红,帽子推到后脑勺上,头发揉得一团凌乱。他捏紧拳头,恶狠狠地朝玛莎小姐挥舞着——竟然冲着玛莎小姐!

"笨蛋!"他声嘶力竭地喊道,接着又喊了一声,"真他妈该死!"或者类似的德国话。

另一个年轻人竭力想把他拖开。

"我不走,"他怒不可遏地说,"我非得跟她说清楚不可。"他敲鼓似的猛敲着玛莎小姐的柜台。

"你把我给毁啦。"他嚷道,他镜片后面的蓝眼睛几乎要喷出火来,"让我告诉你吧,你是个爱管闲事的老巫婆!"

玛莎小姐有气无力地倚在货架上,一只手还按在那件蓝点丝质背心上。年轻人抓住了同伴的衣领。

"走吧,"他说,"你已经骂够了。"他把那个暴跳如雷的家伙拖到门外,自己又走了回来。

"夫人,我想您应当了解这场吵闹的原因,"他说,"他叫布卢姆伯格,是个建筑设计师。我和他在一个事务所里工作。"

"他正在绘制一份新市政厅的平面图,辛辛苦苦地干了三个月,准备参加有奖竞赛。昨天,他刚把图纸描好。您知道,设计师总是先用铅笔打底稿。等图纸描好后,再用陈面包屑擦去铅笔印。陈面包比橡皮好用多了。"

"布卢姆伯格一直在您这里买面包。嗯,今天——嗯,您知道，夫人，面包里的黄油可不——嗯，布卢姆伯格的图样成了废纸，只能裁开去包火车上出售的三明治了。"

玛莎小姐走进后面的房间。她脱下那件蓝点丝质背心，又换上了平常那件棕色的旧哔叽衣服。接着，她把草籽和硼砂混合熬制的汁水倒进了窗外的垃圾桶里。

比门塔薄饼

我们骑着马,正试图在弗莱奥山麓把一群烙有圆圈三角印记的牛赶拢在一起,一株枯死的牧豆树的枝丫钩住了我的木马镫,让我扭伤了脚踝,不得不在营地里躺了一个星期。

被迫在营地休息的第三天,我一瘸一拐地走到炊事班营地,无助地靠在马车旁边的树上,听营地厨师贾德森·奥多姆在那里没完没了地唠叨。他天生是个话痨,一打开话匣子就关不住,可是阴差阳错,偏偏从事了厨师这个职业,大部分时间都不会有一个听众可以让他不停地对着唠叨。

因此,我便成了神赐予的一滴甘露,给贾德森那无声的沙漠里带来了声音的绿洲。

不久,我的体内激起了一阵病人贪嘴的渴望,想吃一些我们集体伙食中没有的东西。我突然思念起我母亲的食品柜,不由得"像初恋一般深情,哀怨又惆怅"。于是,我问贾德森:"你会做薄饼吗?"

他放下准备用来砸羚羊排骨的六响左轮手枪,走到我面前,神情在我看来有些愤怒。他用一双浅蓝色的眼睛冷冷地瞪着我,猜疑的目光让我更加证实了自己的判断,他确实愤怒了。

"喂,你,"他说,尽管没有勃然大怒,但仍然可以感觉到他的愤怒,"你是真心想问我会不会,还是想嘲笑我?是不是有家伙把我关于薄饼的糗事告诉你了？"

"你说什么啊，贾德，"我真诚地说，"我没有别的意思。只是很想用我的小马和马鞍来换一叠用黄油烙得黄黄的薄饼，上面抹着大铁皮桶装的新上市的新奥尔良蜂蜜。对了，关于薄饼，你难道还有什么故事吗？"

贾德森知道我确实没有嘲讽他的意思后，神色立刻缓和了下来。他从炊事车里取出一些神秘的盒子和铁罐子，放在我靠着的那株树下。他在我面前有条不紊地忙活着，然后解开了那些袋子上的绳子。

他一边干活，一边给我讲他的薄饼故事。他说："其实也算不上什么故事，这是我和陷骡山谷来的那个粉红眼睛的牧羊人以及维莱拉·里莱特小姐之间的真实事件。我也不介意告诉你。

"那是我在圣米格尔牧场替老比尔·图米赶牛期间发生的事。有一天，我一心想吃罐头食品。只要罐头里装的东西不哞，不咩，不哼或者不啄的都可以。于是，我跨上我那匹还未驯好的小野马，直奔纽西斯河比门塔渡口埃姆斯利·特尔费尔大叔的店铺。

"下午三点左右，我在距埃姆斯利大叔铺子二十码的地方下了马，把马拴在一棵牧豆树上，就径直跑到店里去了。我纵身坐到柜台上，对埃姆斯利大叔说，看样子全世界的水果都要遭殃啦。不一会儿，我便拿着一袋饼干、一把长匙、一堆各种口味的罐头吃开了。罐头品种很丰富，有杏子、菠萝、樱桃和青梅，埃姆斯利还在一旁手忙脚乱地用斧头帮我砍开罐头的黄色铁皮箍。我觉得自己就像是没有偷食禁果之前的亚当。我快乐地一边挥弄着手里那把二十四英寸的匙子，一边用靴子上的马刺踢打着柜台的板壁。就在一边玩一边吃的时候，我偶然抬头，从窗户里看见了铺子隔壁埃姆斯利大叔家的后院。

"有个女孩站在那儿，娇艳动人，亭亭玉立——一看就是个外地姑娘。她一边玩着槌球，一边看着我对水果罐头痴爱的样子暗自偷笑。"

"我从柜台上滑下来，把手里的匙子交给埃姆斯利大叔。

"'那是我的外甥女，维莱拉·里莱特小姐，从巴勒斯坦①来我这里玩。你想不想我把她介绍给你认识啊？'埃姆斯利大叔问我。

"'噢，那可是圣地啊。'我自言自语道，思想像牛群一样，当我要把它们赶进栅栏里时，它们却乱兜圈子。我高声说道：'难道不是吗？天使们当然在巴勒——当然啦，埃姆斯利大叔，我很高兴认识里莱特小姐。'"

"于是，埃姆斯利大叔把我带到后院，给我们彼此做了介绍。

"在女人面前，我从来没有感到局促不安过。我一直不能理解，为什么有的男人不吃早饭就能驯服一匹野马，也可以摸着黑刮胡子，但是一见到穿花衣裳的大姑娘却变得手足无措、直冒冷汗，连话都不会说了。不出八分钟，我和里莱特小姐的关系就急剧升温，我们一起玩槌球，亲密得像表兄妹一样。

"她取笑我，说我吃了那么多的水果罐头。我也毫不犹豫地回敬她，说水果事件一定是一个叫夏娃的女士在第一个天然草场放牧时搞出来的——'那是在巴勒斯坦结束的，是吗？'我脱口而出，就像用套索捕捉一头一岁的小马那样轻而易举。

"就那样，我真诚地和维莱拉·里莱特小姐亲近起来。随着时间的推移，我们的关系日渐密切。她在比门塔渡口小住，一半是为了健康，一半也是因为这里的气候。其实她的身体很好，只是比门塔的温度要比巴勒斯坦高百分之四十。起初，我每星期骑着马去看她一次。后来我发现，如果我一周去两次的话，那么我见她的次数也就多了一倍。

"有一个星期，当我第三次去那里的时候，发现薄饼和淡红眼睛的牧羊人掺和到我们中间来了。

---

① 巴勒斯坦：Palestine，此处指美国得克萨斯州东部的一个城市。

"那晚,我正坐在埃姆斯利大叔的柜台上,嘴里咬着一个桃子和两个李子,问他维莱拉小姐最近怎么样。

"'哦,她呀,'埃姆斯利大叔说,'跟那个陷骡山谷的牧羊人杰克逊·博德出去骑马了。'

"我把嘴巴里的东西连核吞了下去,跳下柜台。我猜我跳下去的时候一定有人抓住了柜台,才没使它翻倒。然后,我径直朝前走去,直到撞上我拴马的那棵牧豆树才停住脚步。

"'她骑马去了,'我凑在我的小野马耳旁说,'跟杰克逊·博德斯通一起去的,就是和那个牧羊人山谷里的骡子一起去的。你听明白了吗?你这个被鞭子抽着才跑的家伙?'

"我的小马哭了,以它自己的方式。它从小就是被养来放牛的,它才不关心那些牧羊人呢。

"我又回到埃姆斯利大叔那儿,问他:'你说的是牧羊人吗?'

"'是的,就是牧羊人。'大叔又重复了一遍,'你一定听说过他吧,就是那个杰克逊·博德。他有八个牧场和四千头北冰洋以南最棒的美利奴绵羊。'

"我走进去,坐在铺子的阴面,靠着一棵带刺的霸王树。我一边无意识地往靴子里撒沙子,一边自言自语,说了许多这个名字里带有鸟类的杰克逊鸟人①的坏话。

"我从不欺负牧羊人。有一次,我看到一个坐在马背上学习拉丁文的羊倌,连他一根手指头都没动!我不像大部分放牛的人那样,一看见羊倌就气不打一处来。他们总是穿着小巧的鞋子,围着桌子吃饭,跟你有说有笑。你有必要停下手里的活,去欺负和伤害那些家伙吗?看见他们时,我最多跟他们讲一两句客套话,谈论一下天气之类的,从不会停下来和他们一起喝上两杯,也不去找他们麻烦。就像你愿意放过手中的兔子一样,我觉得不

---

① 鸟人:杰克逊·博德的姓是 Bird,有"鸟"的意思。

值得跟羊倌过不去。我想，正是因为我这么仁慈、善良，才会有人骑到我头上来，一个小小的羊倌居然都敢跑来约维莱拉·里莱特小姐去骑马！

"天黑前一个小时，他们骑着马欢快地回来了。到了埃姆斯利大叔家门口，他们停了下来。牧羊人把维莱拉·里莱特小姐扶下马，他们站在那里兴高采烈地聊了会。然后，这个鸟人杰克逊跳上他的破马，抬了抬他那顶双把炖锅一样的帽子，与维莱拉·里莱特小姐挥手告别，朝他的羊圈方向跑去。看到这里，我把靴子翻过来，倒出里面的沙子，随后就跟离弦的箭一样挣脱霸王树上的刺，策马追了过去。在离比门塔半英里的地方，我追上了他。

"我一开始说那个讨厌的羊倌眼睛是粉红色的，其实不是这样。他的眼球是灰色的，但睫毛是红色的，加上头发是棕黄色的，因此让人看起来会觉得他的眼睛是粉色的。这个羊倌，那样子也只能放只小羊羔。你看他，身材瘦小，脖子上系着一个黄丝绸围巾，鞋带还绑成一个蝴蝶结的样子。

"'下午好啊，兄弟。'我对他说，'你现在正和因为枪法好而被冠之"百发百中"的贾德森走在一起。在和一个陌生人开战之前，我总是先这样自我介绍一下，因为我可不喜欢跟死鬼握手。'

"'啊哈，这样啊，'他说，他说话时就是这副腔调——'很高兴见到你，贾德森先生。我是陷骡牧场的杰克逊·博德。'

"就在这时，我一眼看到一只榭鸡叼着一只毒蜘蛛从山上跳下来，另一眼瞥见一只猎兔鹰栖息在水榆树的枯枝上。我立马拔出四五口径手枪，先后干掉了它们，向杰克逊·博德好好地展示了一下我的枪法。'三回有两回都是这样，不管在哪儿，鸟儿似乎都喜欢撞在我的枪口上。'我说。

"'真是好枪法！'牧羊人泰然自若地说，'不过你会不会偶尔失手呢？上星期的那场雨下得真是及时，对小草的生长大有益

处，不是吗，贾德森先生？'

"'威利,'我靠近他的小马说,'你父母宠爱你,才管你叫杰克逊,但是脱了毛的你就变成了叽叽喳喳的威利——让我们绕开对气候、雨水的研究,直奔主题吧。与比门塔的年轻姑娘一起骑马,对你来说可不是什么好习惯。我知道有些鸟儿,'我说,'在还没有那样做之前就已经被烤来吃掉了。维莱拉小姐,从不想让一个杰克逊这样的山雀衔着羊毛给她筑个巢。怎么样,你看你是打算现在撤退呢,还是想检验检验我百发百中、包办丧事的美名?'

"杰克逊·博德脸红了一阵,但随即哈哈大笑起来。

"'呵呵,贾德森先生,'他说,'你搞错啦!我确实去拜访过几次里莱特小姐,但是动机决不是你想的那样。我去那儿纯粹是为了饱饱口福。'

"我伸手去摸枪。

"'哪个色狼,'我说,'竟然这么不要脸——'

"'等等,'这个鸟人赶紧说,'听我解释。我要妻子干吗用呀?只要你去过我的牧场,你就会明白,我自己做饭,自己缝缝补补,根本不需要女人。我养羊的唯一乐趣就是吃。对了,贾德森先生,你尝过里莱特小姐做的薄饼吗?'

"'薄饼?这倒没有。'我对他说,'我从来没听说她在烹饪方面还颇有造诣呢。'

"'那些像金黄色的阳光一样的薄饼,简直就是用伊壁鸠鲁天厨的神火烤出来的金灿灿、甜滋滋的美味。我宁愿用我两年的寿命去换取薄饼的烹饪秘方。我就是为了这个才去拜访里莱特小姐的。'杰克逊·博德说,'可我到现在还没搞到。那是她们家的祖传秘方,已经传了七十五年啦。秘方只在自己的家族里世代相传,从不告诉外人。如果那个秘方被我搞到手,我就能在自己的牧场上给自己做美味的薄饼啦,那我将是多么幸福的一个人啊。'

博德说。

"'你保证你想要的不是做薄饼的那双手吗?'我问他。

"'当然。'杰克逊说,'里莱特小姐确实是个非常好的姑娘,但是我可以向你保证,除了满足胃口——'看到我又开始摸枪,他立即改口道,'只是想知道制作美味薄饼的方法。'"

"我尽量实事求是地说:'你这小子还不算太坏。这次就饶了你吧,我本来还想让你的羊儿们变成孤儿的。那你就好好地守着你的薄饼,千万不要越轨,也别错把感情当蜂蜜,否则你就再也听不到你牧场里的歌声了。'

"'为了表示我的诚意,'牧羊人说,'我想请你帮个忙。里莱特小姐和你的关系更亲密,也许她不愿意替我做的事,会愿意替你做。如果你帮我搞到那个秘方,我一定会信守诺言,再也不去找她了。'

"'这倒不错。'我一边跟杰克逊·博德握手,一边说,'如果可以,我会尽力帮你搞到秘方的,很高兴为你做这件事。'接着,我们道别了,他掉头走下皮德拉的大梨树平地,往陷骡山谷走去;我则朝西北方向走,回到老比尔·图米的牧场。

"五天后,我才有机会去一趟比门塔。我和维莱拉小姐在埃姆斯利大叔家度过了一个愉快的夜晚。她唱了几首歌,又在钢琴上弹了许多歌剧的插曲。而我则给她模仿响尾蛇的样子,告诉她'长虫'麦克菲剥牛皮的新法子,还给她讲了我曾经到圣路易斯旅游的事。我们两人聊得很合拍,彼此都很欣赏对方。我想,要是现在杰克逊·博德离开的话,那我就赢定了。我想起了关于薄饼秘方的承诺,于是便想说服维莱拉小姐把秘方告诉我;那样的话,如果我在陷骡山谷之外的地方见到他,就一枪结果他的性命。

"因此,大约十点钟的时候,我在脸上挂着装出来的甜蜜微笑,对维莱拉小姐说:'现在,如果说还有什么能让我比在绿草

地上见到红色的马还要高兴的话，我想那就是吃上一块热气腾腾、涂着蜂蜜的美味薄饼啦.'

"维莱拉小姐在钢琴凳上微微震了一下，一脸惊诧地看着我。

"'是啊,'她说,'薄饼确实很好吃。你刚才说你在圣路易斯的那条街叫什么来着？就是你丢掉帽子的那条街，奥多姆先生.'

"'薄饼大街,'我冲她眨了眨眼，表示我一心想得到她家薄饼的祖传秘方，否则不会跟她谈论其他话题,'来，维莱拉小姐，跟我说说你是怎么做薄饼的吧.'我冲着她说。此刻，薄饼就像车轮一样不停地在我脑子里打转。现在就要她告诉我——'一磅面粉，八打鸡蛋，等等，所有成分的配比是怎样的？'

"'对不起，失陪了.'维莱拉小姐说。她斜着眼迅速地瞟了我一下，离开钢琴凳出去了。她慢慢走到另一个房间，这时，埃姆斯利大叔径直走了进来，身上没有穿衬衣，手里拿着一个大水壶。就在他转过身去拿桌子上的玻璃杯时，我看见他的裤袋里揣着一把四五口径的手枪。'好家伙！'我心想,'这家人把一个祖传的烹饪秘方看得也太重了吧，竟然要用枪来保护。我想有的人家即使有血海深仇也不至于这个样子啊.'

"'喝水吧.'埃姆斯利递给我一杯水说,'你今天骑马骑得太久啦，累坏了。贾德，别让自己太激动了。想些别的轻松的事情吧.'

"'埃姆斯利大叔，你知道怎么做那种薄饼吗？'我追问道。

"'嗯，我并不擅长烹饪，手艺跟别人没法比.'埃姆斯利大叔回答说,'但我想，你就像平常一样，弄点生面团，一筛子石膏粉，掺点小苏打和玉米面，再放点鸡蛋和全脂牛奶搅和搅和就行了吧。对了，贾德，今年春天老比尔还会把牛肉运到堪萨斯城去吗？'

"那天晚上，我所能打探到的关于薄饼的所有信息就只有这些了，怪不得杰克逊·博德会觉得很难得手。于是，我只得暂时搁下这个话题，开始和埃姆斯利大叔扯扯羊角风和旋风之类的事。过了一会儿，维莱拉小姐进来道了晚安，我就骑马回牧场了。

"差不多一个星期后，在我骑马去比门塔的路上，正好碰见杰克逊·博德刚从那里回来。我们在路上停了下来，聊了一会儿。

"我问他：'你弄到做薄饼的详细过程了吗？'

"'没有。'杰克逊说，'我想我是不可能把秘方搞到手了，你试着帮我问了吗？'

"'试过，'我说，'但那就像用花生壳把草原犬鼠从洞里挖出来一样难。你看他们牢牢守着它的样子，就知道那个薄饼秘方一定是个宝贝。'

"'我差不多准备放弃啦，'杰克逊说，语气是那么的失望，让我觉得都有些对不起他了，'我无非就是想知道怎样做那种薄饼，可以让我在我那寂寞的牧场上自己做来吃。'他说，'晚上，我躺在床上想着薄饼的味道，几乎睡不着觉。'

"'你继续努力吧，'我跟他说，'我也会继续想办法的。要不了多久，我们总有一人会得到秘方的。就这样吧。再见，杰克逊！'

"你瞧，这个时候，我俩的关系多么密切啊。当我发现他不是在追求维莱拉小姐后，我心里对这个棕黄色头发的羊倌也就比较友好了。为了帮助他满足食欲，一饱口福，我一直试着从维莱拉小姐那里弄到薄饼的秘方。但是，每次我跟她提起'薄饼'，她总是想办法避开，眼神里流露着不安。如果我坚持这个话题，她就会借故出去。这个时候，手里拿着水壶，裤袋里揣着手枪的埃姆斯利大叔就会走进来。

"有一天，我骑马跑到那家铺子，手里拿着从毒狗草原的野花丛中摘的一束美丽的蓝马鞭草。埃姆斯利大叔眯起一只眼睛，看着马鞭草说：'你没听到那个消息吗？'

"'牛涨价了？'我问道。

"'昨天,维莱拉和杰克逊·博德在巴勒斯坦结婚啦。'他说,'我今天早晨刚收到信。'

"我把那束马鞭草扔进饼干桶,让那个消息慢慢灌进我的耳朵,再流到左边的衬衫口袋,最后流到我的脚底。

"'埃姆斯利大叔,你能不能再说一遍?'我说,'可能我的耳朵有什么问题,你刚才说的是头等的小牛犊四块八毛钱一头,还是别的类似的事啊?'

"'是昨天结的婚,'埃姆斯利大叔说,'已经去韦科和尼亚加拉大瀑布度蜜月了。怎么,难道你一直没看出什么迹象吗?自从杰克逊·博德带维莱拉出去骑马那天,他就开始追求她了。'

"'那么,'我大声吼起来,'你告诉我,他跟我说的关于薄饼的事情到底是什么意思?'

"当我一说到'薄饼'二字,埃姆斯利大叔一个躲闪,后退了几步。

"'有人用薄饼来算计我,'我说,'我倒要弄个水落石出。我相信你是知道的。快告诉我,否则,我跟你没完。'

"我翻过柜台追赶埃姆斯利大叔。他去抓枪,可枪在抽屉里,离他还有两英寸。我揪住他的衣领,把他逼到墙角。

"'告诉我薄饼的事,'我说,'否则我把你做成薄饼。维莱拉小姐会不会做这个?'

"'她这辈子都没有做过一张薄饼,我从来没见过。'埃姆斯利大叔安慰我道,'冷静点,贾德——冷静点。你太激动啦,你头上的旧伤使你神经错乱。试着不要去想什么薄饼。'

"'埃姆斯利大叔,'我说,'我除了天生不擅长思考外,我的脑袋从来没有受过伤。杰克逊·博德告诉我,他来看维莱拉小姐只是为了搞到她做薄饼的秘方,他还请求我帮他弄一份原料的清单呢。你也看到了,我一直在帮他这样做。难道我是被那个粉红眼睛的羊倌用约翰逊青草蒙住了双眼,还是有别的什么原因?'

"'你先松开我的衣服,'埃姆斯利大叔说,'然后我再告诉你。是的,看来是杰克逊·博德把你给骗了,然后溜之大吉。他和维莱拉小姐一起出去骑马的第二天,他跑来告诉我们,无论何时你说起薄饼,我们一定要小心点。他告诉我们,你们曾经在营地烙煎饼,有个家伙用平底锅砸了你的脑袋。他还说,只要你一激动或者高兴过头,就会旧病复发,开始发疯,胡言乱语地一直说着薄饼。这个时候,只要我们转移薄饼的话题,安抚你冷静下来,你就没有什么危险了。因此,我和维莱拉尽我们最大的努力这样做了。唉,这样看来,'埃姆斯利大叔说,'像杰克逊·博德这样的牧羊人真是少见。'"

贾德森讲故事的时候,已经缓慢而熟练地把那些袋子和罐子里的东西搅和在一起了。故事快讲完时,他给我端来了他的杰作——两张放在铁碟子里的薄饼,金灿灿、热气腾腾的。他还从某个神秘的地方给我搞来了一块上等的黄油和一瓶金黄色的蜂蜜。

"这件事过去多久啦?"我问他说。

"三年了。"贾德森答道,"现在他们就住在陷骡山谷。不过自那以后,我再也没有见过他们。据说杰克逊·博德把我骗得团团转的时候,一直在装扮他的牧场,在那里装了摇椅和窗帘。啊,没多久我就把这事抛到了脑后,但弟兄们还是闹个没完。"

"你是按照那个著名的秘方做的这些薄饼吗?"我问道。

"我不是跟你说过了吗,根本没有什么秘方!"贾德森说,"这个配方是我从报纸上剪下来的。弟兄们老是拿薄饼来说事,后来他们实在是也馋薄饼了,我才按照报纸上的配方做了。怎么样,味道如何?"

"味道好极了!"我回答说,"贾德,你怎么不吃一点儿?"一声叹息清晰地传入我的耳朵。

"我吗?"贾德森说,"我从来不吃薄饼。"

爱情信使

在这样的季节，这样的时刻，公园里鲜有来访者。至于这位端坐在公园小径旁长椅上的年轻姑娘，很可能只是一时冲动，出来享受一下即将到来的春天。

她坐在椅子上安静地沉思着，一动不动。脸上流露出的一丝忧郁神情也许不久前才产生，因为它还没有改变她年轻秀美的轮廓，她那线条分明的双唇的曲线也未曾有丝毫的减损。

一个身材高挑的年轻人沿着她座位旁边的小径匆匆穿过公园，走了过来，后面紧跟着一个小男孩，帮他提着手提箱。一看见那个姑娘，年轻人的脸立马红一阵白一阵的。他一边走过来，一边仔细观察着姑娘的神色，脸上露出既焦虑又渴望的神情。他从离她只有几码远的地方走过去，但是没有任何迹象能够表明姑娘注意到了他的出现和存在。

他又往前走了大约四五十米，突然停下脚步，在一边的长凳上坐下。小男孩放下手提箱，困惑地盯着他。年轻人掏出手帕擦了擦额头。那是一条很好的手帕，年轻人浓眉大眼很是英俊。他对小男孩说："我想请你给坐在那条长凳上的姑娘送个信，告诉她我要去火车站了，去旧金山参加阿拉斯加驼鹿猎捕队。告诉她，既然她吩咐过我不准和她说话，也不准给她写信，我只好用这种方法最后一次请求她：请她看在我们过去那么深厚的情谊上，别再这样感情用事。告诉她，谴责、抛弃一个本不该被这样对待的人，既不说明理由，也不容对方分辩，这有悖于她的本性，我相信她绝不是那样的人。告诉她，我这样做也许在某种程度上没有遵从她的禁令，但这只是希望她能理智抉择，用正确的方法解决问题。去吧，把我说的告诉她。"

小伙子说着，把一枚五十分的硬币塞在小男孩的手里。小家伙脏兮兮的聪明脸庞上长着一对明亮而又狡黠的眼睛，他看了小伙子一会儿，然后撒开腿跑过去。他迟疑地走近坐在椅子上的姑娘，但并未局促不安。他用手碰了碰压在脑袋上那顶骑自行车时才戴的旧方格呢帽的帽檐。姑娘静静地看着他，既不反感，也不热情。

"小姐，"他说，"那边椅子上的先生打发我来为您唱首歌跳支舞，要是您不认识那个家伙，他就是在故意调戏您，您只要说一句话，用不了三分钟我就能把警察叫来。要是您确实认识那位先生，那他一定是个老实人，我就把他要我来对您讲的那些话详细地告诉您吧。"

姑娘听他这么一说，倒是流露出了一点点兴趣。

"唱歌跳舞！"她说话时声音甜美，不紧不慢，像是用一层半透明的丝绢把隐隐约约的嘲讽包裹了起来似的，"这倒是个新鲜主意——抒情点的吧。我——以前认识那个打发你到这儿来的先生，所以我看也没有必要惊动警察了。你可以唱歌跳舞了，不过声音别太大，现在玩杂耍演出为时尚早，弄不好会招惹别人注意的。"

"噢！"小家伙说话时，浑身都随之耸动起来，"您明白我的意思，小姐。我不是要表演什么节目，而是要向您唠叨一些空话。那位先生吩咐我告诉您，他已经把所有的衣服都装进了手提箱，准备一溜烟跑到旧金山去。然后他要出发到克朗代克达去打雪鸥。他说您吩咐过不让他再送粉红色的书信，也不许他在您家的花园门口转悠，所以他才想出这个方法，想向您解释清楚。他说您把他像一个'曾经好过'的旧情人一样一脚踢开,又不肯给他一个分辩的机会。他说您给了他巨大的打击,又没有说出个所以然来。"

此时,年轻姑娘的双眸中复苏起来的兴趣丝毫未见消退,也许是这位打雪鸥的先生的创新精神打动了她,又或许是他表现出来的勇气感动了她。就这样,姑娘破除了原先定下的禁止用任何普通方式进行接触的禁令。她盯着那座郁郁寡欢地站在杂乱的公园里的塑像,对传话的使者说:

"回去告诉那位先生,我不想再三地重复表述我的理想,这些他过去知道,现在也很明白。就这件事而言,我的最高理想是绝对的忠贞和真诚坦白。请你告诉他,我像一个常人那样了解自己的内心,知道自己内心有软弱的一面,但也知道自己需要什么。这就是为什么我不听他的辩解,无论什么样的辩解我都不想听。我不会凭道听途说的消息或在证据不足的情况下指责他,所以我不想太为难他。不过,既然他对事情的缘由已经心知肚明,却还要明知故问,那么你不妨转告他。"

"告诉那位先生,那天晚上我从后面进了温室,想为我母亲折一支玫瑰花。告诉他,我亲眼看见他和阿什伯顿小姐站在粉红色的夹竹桃下面。那场面真是精彩,相互依偎的造型够动人够显眼的了,不需要再做任何解释。我离开了温室,同时也离开了我的玫瑰和我的理想。现在你可以把这段歌舞带回给你的歌舞编导了。"

"实在不好意思,小姐,有个词,依……偎——您能把这个词给我解释一下吗?"

"依偎——或者你也可以用'亲热',或者说靠得很近,就是一个人与另一个人挨得特别近的理想的姿势,随便你怎么说。"

小家伙又一溜烟地跑了,脚下的沙砾飞溅开来,一转眼他就站在另一张椅子旁边了。小伙子急切地投来询问的目光。小男孩作为一名翻译,眼睛里的热情却是冷静客观的。

"那位小姐说,她知道当一个家伙胡编乱扯一通,想方设法填补漏洞的时候,姑娘们最容易上当,所以,她根本不愿听那些甜言蜜语。她亲眼看见你在那个温室里搂着另一个姑娘。她从侧门进去,想要摘玫瑰花,却看见你紧紧搂着另一个姑娘亲热。她说那个场景看着非常甜蜜,呵呵,不过让她感到恶心。她说你趁早去赶你的火车吧。"

小伙子轻声吹了个口哨,眼睛一亮,忽然有了主意。他迅速把手伸进外衣的口袋里,掏出一沓信来,从中挑出一封递给那个小男孩,随后又从衬衣口袋里掏出一枚银币。

"把这封信给那位小姐送过去,"他说,"请她看一看。请你告诉她,这封信能把当时的情况说清楚。你要告诉她,哪怕她对自己理想中的信念还心存一丝信任,也许就能避免心痛的折磨。告诉她,对于她视为珍宝的忠贞我从未有过丝毫动摇。告诉她,我在等着她的回答。"

信童又站在了姑娘面前。

"那位先生说了,你那些毫无根据的想法让他受了很多委屈。他说他不是虚情假意的人。好了,小姐,您看看这封信吧。我敢说他是个清白无辜的好男人,绝对没错。"

年轻姑娘有些将信将疑地打开信,读了起来。

亲爱的阿诺德先生:

我对您上星期五晚上对我女儿非常及时和仁慈的救护深表谢意。她在参加沃尔德伦太太的宴会时,心脏病发作,晕倒在温室中。在她即将摔倒之时,要不是您在她身边扶住她并给予恰当的照护,恐怕我们现在已经失去她了。如您能光临寒舍,并亲自为她诊治疾病,本人将万分荣幸。

永远感激您的罗伯特·阿什伯顿

姑娘将信叠好，交给那个男孩。

"那位先生等着您的答复，"小信使说，"我该怎么回话？"

姑娘的眼睛向他瞥了一下，晶莹明亮的双眸中闪动着泪光，但却充满笑意。

"请你告诉坐在长凳上的那个人，"她的声音高兴得微微颤抖，"说他的姑娘要他过来。"

苹果的诱惑

车夫比尔达·罗斯在走出乐园城二十英里后勒住了马车,这里离日出城还有十五英里。纷纷扬扬的大雪整整下了一天,地面上的积雪都有八英寸厚了。剩下的十五英里都是险峻崎岖的山路,就算在白天行车都难保不出危险。比尔达·罗斯说现在肆虐的大雪和苍茫的夜色使得行车更加危险,根本不可能再往前走了。于是,他勒住了四匹健壮的马,并把这个英明的推论告诉自己的五位乘客。

梅尼菲,这个总把自己当领导和核心人物的法官立刻跳下了马车。在他的带动下,另外三名乘客也先后跳下马车,随时准备跟在他们的带头人后面,或抱怨,或屈服,或探险,或继续赶路。第五名乘客是位年轻的女性,她依然待在马车里,没有出来。

比尔达把马车停在第一道山脊的山肩上。道路两旁立着两道参差不齐的黑色木栅栏。离那道比较高的栅栏五十码处,有一幢小房子,在白茫茫的积雪中看起来像是一块黑色的污渍。积雪和紧张使得法官梅尼菲和他的旅伴们像孩子一样欢呼叫嚷着,朝那座房子走下去,更确切地说,他们是朝那座房子走上去。他们一边向屋子里叫喊,一边敲打着门窗。毫无应答的冷漠加剧了他们的不耐烦,于是,他们便向易于攻击的屏障发起了进攻,硬闯了进去。

留在马车上的人听到了从那座被强行闯入的房子里发出的磕绊声和叫喊声。不久之后，就看见房子里出现了跳动的火光，火越来越旺，烧得明亮欢快。接着，这些探险家冒着大雪，兴高采烈地从小屋里跑了回来。法官梅尼菲用他那比号角还要响亮的声音，向大家宣告他们摆脱困境了，那音量几乎可以和管弦乐队的音量相比。他告诉大家，那是一所无人居住的房子，也没什么家具。但是屋子里有个大壁炉，并且他们还在后面的柴房里找到了许多劈好的木柴。这样一来，在如此寒冷的夜晚，他们的住宿和取暖就有了保障。让比尔达感到欣慰的一个消息是，屋子附近还有一个马厩，虽然年久失修，但还可以将就着用用，而且阁楼上还有干草。

"先生们，"比尔达把大衣和毯子裹得严严实实，坐在车夫座位上嚷道，"从栅栏上扯下两块板子，好让我把马车赶进去。那是雷德鲁斯老头的小房子，我本来还想着我们准在他房子周围呢。八月份的时候，雷德鲁斯被送进了疯人院。"

四个乘客欢呼着朝积雪覆盖的栅栏跑去。马匹在车夫的吆喝下把车子拖上了斜坡，一下子就来到那座主人在仲夏时发了疯的建筑物的门口。两个乘客和车夫一起开始卸马。法官梅尼菲则打开马车门，脱掉帽子，对车上的小姐说："加兰小姐，我不得不告诉您，我们被迫暂停我们的旅行。车夫声称，晚上赶夜路的风险实在是太大了，不容忽视。因此，这样的处境要求我们不得不在这座房子里住上一晚。除了暂时的不便外，希望您不要有什么顾虑。我亲自检查了那座房屋，发现它至少还可以抵挡天气的严寒。我们会尽可能地让您觉得舒适。现在请允许我扶您下车。"

这时，法官旁边过来了一个乘客。他叫邓武迪，在小巨人风车公司工作。这些信息并不重要，因为在乐园城到日出城这一段短短的路程中，乘客们不需要十分清楚彼此的姓名，即使完全不知道也无所谓。然而，对于试图与麦迪逊勒·梅尼菲法官对抗的人来说，理应让人记住他的名字，好让他的名字挂上名誉的花环。因此，这个靠手艺吃饭的人轻快地高声说："麦克法兰太太，看样子你不得不下车了。这座小房子虽然跟帕尔默大酒店简直不能比，但是现在却可以躲避风雪；等你离开的时候，也没有人会搜查你的手提箱，看你有没有把他们的匙子带走当纪念品。我们已经生了火，不仅能让你的脚不受潮，还会把老鼠赶跑。不管怎样，我们会把你安排得舒舒服服的，绝无问题。"

还有两个乘客正在跟马匹、缰绳、积雪，还有比尔达·罗斯尖刻的命令作斗争。其中一个从他的志愿劳动中抽出身来，高声嚷道："喂！你们谁把所罗门小姐送到屋里去，好吗？嗨，喂！该死的畜牲！"

我不得不再啰嗦几句：从乐园城到日出城这段短短的旅程中，弄清楚别人的姓名完全是多余的。当梅尼菲法官向那位女乘客做自我介绍时——当然他的年龄和声望允许他这样做，作为回应，女乘客甜甜地轻声报了一个姓。于是，听到这些的男乘客们便根据自己听到的不同的发音，产生了不同的读法。而当时，人人都相互嫉妒，彼此竞争，所以，最终的结果就是人人都固执己见，各不相让，互不承认。而对于女乘客来说，如果重新声明或更正，就算不让人觉得她过分热情想与人深交，也会显得斤斤计较。因此，当他们称呼她加兰、麦克法兰，或者所罗门时，她并没有表示不满，而是欣然接受了这些称谓。从乐园城到日落城总共不过三十五英里，在这么短的旅程中，"旅伴"这个称呼也就足够了。

不一会儿，这几个人就兴高采烈地在熊熊燃烧的炉火旁边围坐成了半个圆圈。长袍、垫子以及马车上能搬动的东西，都被拿进来派上了用场。女乘客选择了壁炉旁边的位置，成为半圆形队伍的一端。她优雅地坐在垫子上，那垫子像是她的臣民们为她准备的王座。她背靠着一个蒙着长袍的空木箱和空木桶，它们可以挡住门窗缝里钻进来的寒风。她伸展着穿着鞋袜的双脚，将它们靠近温暖的炉火。手套已经脱去，但她仍旧将脖子裹在长长的毛皮围脖里。跳跃的炉火照亮了她半掩在围脖里的脸，那是一张年轻的、散发着女性魅力的脸蛋，眉清目秀，安静恬适，神情中流露出一种对自己无懈可击的美貌的自信。炉火旁的各位男士用他们的骑士精神和男子汉魅力争讨她的欢心，让她舒服。她似乎也接受他们的殷勤，而且表现得恰到好处，就像是百合花摄取注定会使它清新的露珠一样自然。而不是像一个受到追求和呵护的女人那样骄纵，不像一个受到众多异性吹捧的女人那样高傲，也不像面对干草的牛那样冷漠和置之不理。

外面狂风呼啸，怒舞的雪花通过缝隙嗖嗖地直往屋里钻，寒气直逼这六个落难者的后背。即便如此，那晚的风雪天还是受到了一些人的好评。梅尼菲法官是暴风雪的律师，天气是他的委托代理人。他努力地为他的代理人进行辩护，目的是想通过一场专门的辩论来告诉那些待在寒冷的陪审席上的伙伴们，这是怎样一个花香迷人、春风和煦的小屋子。他讲了许多好笑好玩的奇闻轶事，尽管都是些难登大雅之堂的俏皮故事，但在这里却极受欢迎。这种欢乐的情绪感染了每一个人，让人不可抗拒。大家连忙各显奇才，来渲染这种欢乐的气氛。甚至连那位女乘客也抑制不住地用她那清脆而徐缓的声调表示："我觉得大家讲的都很有趣。"

每隔一段时间，就会有一个乘客站起身来，风趣地打量着这间屋子。雷德鲁斯老人居住过的痕迹基本上已找不到了。大家嚷嚷着要比尔达·罗斯讲讲这个曾经隐居在这儿的老头的故事。现在，马匹安置妥当了，乘客们似乎也都比较舒心了，于是，这个马车夫又恢复了他和蔼可亲的态度。

"那个老家伙，"他稍稍有点不敬地说，"他在这里住了二十多年，从来不允许任何人接近他。每当有人经过他的小房子，他就会把脑袋缩回去，砰的一下关上房门。他的阁楼上有一辆纺车,他过去常常到小泥口的山姆·提利的店里买一些食品、杂货和烟草。八月份的时候,他披着一床红被子跑到那儿告诉山姆,说他是所罗门国王,他的示巴女王要来看他了。他带来了他所有的钱,满满一小袋子银币,把它们扔进山姆家的水井里。他对老山姆说,如果他的女王知道他有钱,就不会来看他了。"

"大家一听他对女人和金钱的理论,就知道他疯了,于是把他送到精神病院去了。"

"他有什么罗曼史导致他过上这种隐居的生活吗?"一个做经销商的年轻乘客插嘴问道。

"没有,"比尔达说,"我从没听说过还有这种事。只不过是生活中的一些小挫折导致的。据说他年轻时和一位年轻姑娘之间发生过一段纠缠不清的爱情故事,很是不幸。在他披红被子、扔钱等等这些事发生之前,我可从未听说过他有什么罗曼史。"

"啊!"梅尼菲法官大声感叹道,"毫无疑问,这是一个单相思的故事。"

"不,先生,"比尔达接口道,"根本不是这样,她压根就没跟我们的雷德鲁斯结婚。乐园城的马默杜克·马林根有一次遇见了雷德鲁斯老头的一个老乡,这位老乡说雷德鲁斯是个不错的小伙子,但是他没有钱,是个穷小子。敲他的口袋时,你听到的丁丁当当的声音并不是钱的声音,而是纽扣和钥匙串发出来的。他和一个年轻的小姐订了婚。我记不清她的名字了,也许是爱丽丝。他还说,这个女孩是那种在车上偶遇就想抢着替她买票的女孩。可是,他们镇上突然来了一个家里很有钱的小伙子,他拥有四轮马车、矿山股票和大把的时间。尽管已经订婚了,但爱丽丝似乎跟那个家伙打得火热。他们互相串门,还在邮局巧遇,发生了许多诸如此类往往会促使姑娘们退还订婚戒指和其他礼物的事情——正如一个诗人所说,这造成了'赃物上的小裂缝'。"

"有一天,人们看见雷德鲁斯和爱丽丝小姐站在门口谈话。

不久，他举了举自己的帽子，礼貌地走开了。据这位老乡说，这是人们最后一次在这个小镇上见到他。"

"那个年轻女孩怎么样了？"年轻的代理商小伙子又问。

"再也没听说过了。"比尔达回答说，"我听到的故事就只有这些。这就像一匹瘸了腿的老马，任你怎么鞭打，也没有办法往前走了。"

"多么悲惨的……"梅尼菲法官正要评论，但他的话却被一个更有权威的声音给打断了。

"好有趣的故事啊！"女乘客像笛子一样动听的声音响了起来。屋子里突然安静下来，只听得到外面的风声和柴火燃烧的"噼里啪啦"的声响。男人们都坐在只垫了一些零碎木板和外套的地上，这些东西可以让冰冷坚硬的地板坐上去稍稍舒服一点。在小巨人风车公司工作的乘客站了起来，为了舒缓一下因长时间蹲坐而酸痛麻木的肌肉，他在屋里走动起来。

突然，他发出一声得意的欢呼。只见他从一个昏暗的角落里跑过来，手里高举着什么东西。原来那是一个苹果，一个又红又大、带着斑点的优质苹果，让人看了就喜欢。它是在角落里一个高架子上的纸袋里被发现的。那新鲜的样子表明它不大可能是雷德鲁斯留下的苹果；如果是的话，从八月到现在，肯定早就烂掉了，不可能还这么光鲜亮丽。肯定是哪个借住在这里的人在这里吃东西的时候落下的。

邓武迪的发现给了他再次引人瞩目的机会——在饥寒交迫的伙伴们面前炫耀着那只漂亮的苹果。"麦克法兰太太，看看我找到了什么！"他冲着人群自豪地叫嚷着。他把苹果高举在火光前，使得它看起来更显红润。女乘客恬静地笑了，她总是那么波澜不惊。

"好可爱的苹果啊！"她说，声音轻柔而明亮。

片刻之间，梅尼菲法官觉得自己被打垮了，地位受到了威胁，颜面尽失，这再次刺痛了他。为什么命运之神偏偏眷顾了这个粗俗、鲁莽，且没有任何亮点的做风车生意的家伙，而不把发现这个美丽苹果的机会送给自己呢？要不然，他会把这个美妙的发现变成妙趣横生的即兴表演，或者情景喜剧中的一个片段、一场盛宴抑或一个背景，从而永远保持受人关注的地位。实际上，那位女乘客正看着这个可笑的邓博迪或者武邦迪，脸上带着赞许的微笑，好像这家伙刚刚做了什么伟大的事情一样！这个做风车生意的人，此刻被尘世吹向太空的风刮得鼓鼓的，就像他自己的风车一样转个不停。

正当欣喜若狂的邓武迪先生拿着那只宝贝的苹果，沉浸在大家的关注中时，智谋过人的法学家已经想出了一个恢复自身地位的计策。

梅尼菲法官走上前去，从邓武迪手里拿过那只苹果，像是要审判它似的，肥胖而典雅的脸上堆着最绅士的笑容。苹果在他的手里成了物证。

"多好的苹果啊。"他赞许地说，"我亲爱的邓温迪先生，作为同是搜寻食物的人来说，你的功绩令我们都黯然失色。不过我有一个想法。这只苹果将成为一枚徽章、一件礼品或是一个奖章，用以授予一个心灵和智慧都出众的人。"

这些听众当中，除了一个人之外，都拍手叫好。"嘴上说得容易，可不是吗？"一个乘客说。其实说话的这个人就是那个年轻的代理商。

做风车生意的人坐在那里没有表态。他发现自己被从众人瞩目的位置拉了下来。他做梦也没想到，他的苹果竟作为一枚徽章而被充了公。他原打算把苹果分开吃掉，然后把苹果籽贴在前额上，每一颗代表他所认识的一位年轻小姐。他还打算把其中的一颗代表麦克法兰太太，以此作为余兴节目，哪一颗苹果籽先掉下来就表示……但是现在为时已晚。

"苹果，"梅尼菲法官继续对他的陪审团说，"尽管在当今，它受到了人们不公正的待遇，地位也不高。事实上，它与商业和烹饪业的联系是如此密切，以至于很难进入高档水果之列。在古代，它的境遇可就大不相同了。圣经、史籍和神话中都有大量的事实可以证明，苹果是水果中的贵族。当我们想形容某件东西无比珍贵时，我们仍用'眼中的苹果'来比喻。在成语里，我们还可以发现'银苹果'这个比喻。没有任何植物的果实在比喻用法中有它这么广泛。谁没有听说和向往过'赫斯珀里得斯的金苹果'？我想不用我说，诸位也都知道苹果悠久灿烂的历史中最重要且最有意义的例子。我们的祖先吃了苹果，才从善良完美的境界堕落到人间。"

做风车生意的人还是跳不出具体事物的圈子，他说："像这样的苹果，在芝加哥市场上卖三块五十分一桶。"

"现在我要建议的是，"梅尼菲法官对打断他的话的人宽容地笑了笑，接着往下说，"今晚我们不得不守在这里过夜。我们有了足以取暖的柴火。下一步，为了打发这漫漫长夜，我们需要尽可能找些好玩的东西，让时间过得快一点。我提议把这只苹果放在加兰小姐那里，但是它不再是一个水果了，而是像我刚才所说的，是一个奖品、一种奖励，代表人类的一种伟大思想。加兰小姐也不再属于她个人，当然，请允许我补充一句，这仅仅是暂时的，"他用那种完全温文尔雅的古典气派，深深地鞠了一躬，接着说，"她将代表整个女性，是整个女性的象征和化身，也许还可以说，是上帝创造的杰作，是善良和勇敢的化身。她将以这样的身份来对下面的比赛加以判断并做出决定。"

"几分钟之前，很高兴我们的罗斯先生给大家讲了关于小屋主人的浪漫史，故事很有趣，但是却不完整。对于我来说，罗斯先生告诉我们的那部分为我们展现了一个美妙的境界，我们可以根据这个引子自由地推测、猜想和研究人类的心理，充分发挥我们的想象，简而言之，就是讲故事。让我们利用这个机会，每个人从罗斯先生中断的地方延续下去,也就是隐士雷德鲁斯和他的情人分手后发生的事,按照自己的想法给这个故事一个完整的结局。但所有的结局都必须建立在这样的基础和背景之上,即不能认为雷德鲁斯成为一个精神错乱、愤世嫉俗的隐士是那位年轻小姐的过错,大家不可以怪罪她。我们都讲完后,再请我们的女性代表加兰小姐根据女人的心理和原则,以女性的视角对故事进行评判,以决定哪个故事最好、最真实地描述了人类爱情的实质,最准确地判断了雷德鲁斯未婚妻的性格和行为。苹果将发给加兰小姐认为故事讲得最好的那个人。如果大家没有意见,就从邓武迪先生开始吧。大家欢迎。"

最后一句话将了那个做风车生意的人一军。不过他可不是那么容易被打倒的。

"法官先生,这可是个一流的计划啊。"他兴致勃勃地说,"这是一个有模有样的故事会,是吧?我曾经是斯普林菲尔德一家报纸的通讯记者,新闻不够的时候,我就编造一些。我想,这是我大显身手的时候啦。"

"这真是个不错的想法,我想,"女乘客声音清脆地说,"简直就和做游戏一样。"

梅尼菲法官走到姑娘面前,把苹果放到她手里,动作极为做作和殷勤。他用响亮的声音说道:"古时候,帕里斯曾把金苹果送给最美丽的人。"

"我可从来没有听说过这回事啊。"做风车生意的人现在又很高兴了,插嘴说,"我参加过巴黎的博览会,并不总是待在机械展馆里,还经常光临博览会的娱乐场所,没听说过啊。"

"现在,"法官没有理会他,继续说下去,"这个苹果将把女性心理的秘密和聪慧告诉我们。给,加兰小姐,拿着苹果。听听我们讲的真挚的爱情故事,然后根据你的想法,把这个苹果奖给你认为受之无愧的那个人。"

女乘客甜甜地笑了笑。苹果就放在她裹着外套和毯子的膝盖上。她慵懒地靠在为她挡风的堡垒上，舒适而又惬意。要不是这嘈杂的人声和风声，也许就可以听到她均匀而舒畅的鼾声了。有人往壁炉里添了些柴火，梅尼菲法官温文尔雅地朝做风车生意的人点了点头，问道："请问你可以开始了吗？"

"好！我觉得故事的结局大概是这样的。"做风车生意的人像土耳其人那样盘腿坐在地上，帽子戴在了后脑勺上挡风。他一点也不怯场，落落大方地将自己编造的故事娓娓道来，"自然是雷德鲁斯被那个小子惹急了，那小子那么有钱，还想抢他心爱的姑娘。呃，遇到这种事，他当然要跑去找那个姑娘问清楚，跟那个小子相比，他是不是依然有竞争力。呃，我们知道，不论是谁，当他喜欢一个女孩时，都不会希望有个拥有马车和金矿股票的公子哥儿横插一脚。呃，所以呢，他跑去找那个姑娘的时候，可能火气比较大，以为自己就是她的丈夫，说话语气很重。呃，然而他忘了他只是她的未婚夫，他们只是有婚约而已。呃，他不友好的问话让爱丽丝觉得很不爽，火气自然也上来了，于是就赌气回敬了几句。呃，就这样，他——"

"喂！我说，如果你能在每一个你说的'呃'上面加一架风车的话，你就可以退休了，不是吗？"一个无足轻重的乘客插嘴戏谑他。

讲故事的人咧开嘴，憨厚地笑了笑。"呵呵，反正我本来就不是什么莫泊桑。"他爽朗地说，"我讲的是地道的美国话。嗯，那个姑娘是这样回答的：'那位先生跟我只不过是普通的朋友关系，但他却带我坐马车兜风，请我看戏剧。而你作为我的未婚夫，从来没有带我玩过这些。你想让我永远都不要做这些开心的事吗？非要我在可以享受这些消遣的时候愚蠢地拒绝吗？'雷德鲁斯听到这些，开始心烦意乱了，他不耐烦地说：'说这些有什么用！就说重点，如果你不跟那个家伙一刀两断，就别想再进我

家的门!'

"我想,这种伤感情的气话对这样一个姑娘讲是不合适的。这样有点过了。我敢打赌,女孩一直深爱着她的未婚夫。也许她只不过是想像其他女孩那样,在还未嫁做他人妇,安心帮丈夫补袜子、做个好妻子之前,抓住青春的尾巴,像个小姑娘一样享受一些甜蜜而有趣的娱乐消遣。但是,雷德鲁斯觉得很没有面子,于是就发生了上面的事。哎,她刚好也很生气,于是就把戒指退还给他。分手后,乔治就开始酗酒。事情准是这样的。我敢打赌,那姑娘在他走后两天,就和那个有钱的公子哥儿断绝了来往。乔治带上干粮和行囊,搭上一辆货车,不知到什么地方去了。此后他一直酗酒,几年后,他那被酒精麻醉的大脑做出了决定。'我要隐居去啦,'他说,'我要留着长胡子,守着一个没有钱的埋在地下的钱罐子。'

"至于爱丽丝呢,我想,她的处境也不怎么好。她也没有结婚,到老了,脸上都有皱纹的时候做了一名打字员,还养了一只猫,只要有人对它'喵——喵——'地叫,它就会跑过去。我对好女人有足够的信心,相信她们从来不会为了金钱而抛弃自己心爱的人。"做风车生意的人结束了他的故事。

"我认为,"女乘客在她那简陋的宝座上稍稍挪动了一下,说道,"这个故事很可——"

"加兰小姐!"梅尼菲法官举起手,打断了她的话,"我请求你现在暂时不要评论,不然会对其他的选手不公平。那么,下一个,噢,先生,轮到你了。"法官对那个年轻的代理商说。

"我认为这个爱情故事是这样的。"年轻的代理商紧张而又羞怯地搓着手说,"他们分手的时候并没有吵架。雷德鲁斯先生是去向她道别,为了挣更多的钱,他要出去闯荡了。他相信他心爱的人是忠于他的。他根本不屑于去想他的情敌能够打动他心爱的女人那颗善良而纯洁的心。在我讲的故事里,雷德鲁斯先生到怀俄明的落基山脉淘金去了。有一天，在他干活的时候，一群海盗去了那里，把他给抓了起来，于是——"

"咳！你说什么？一群海盗在落基山脉上岸登陆？那你能告诉我他们是怎么到的那儿吗？"那个无足轻重的乘客突然尖声喊道。

"坐火车去的。"讲故事的人不慌不忙地回答，似乎早有准备。

"他们把他关在一个山洞里，几个月后又把他扔到了几百英里远的阿拉斯加森林里。在那里，有一个美丽的印第安姑娘爱上了他，但他仍旧忠于爱丽丝。在森林里过了一年的流浪生活后，他带着钻石准备离开那里——"

"什么钻石啊？"那个无足轻重的乘客带着近乎尖酸刻薄的语气又问道。

"秘鲁神庙的马具商人展示给他的钻石。"年轻的代理商含糊其辞地回答道，"他回到家乡的时候，爱丽丝的母亲抹着眼泪把他带到绿柳树下的一个坟头处，说：'你离开后，她的心就碎了。'雷德鲁斯先生悲伤地跪在爱丽丝的坟墓前，问：'那我的情敌切斯特·麦金托什怎么样了？'她的母亲回答说：'当他知道爱丽丝心里只有你的时候，他就开始一天天地消瘦下去。直到有一天，他在大拉皮兹开了一家木器店才好了一点。不久前，我们听说他为了避开文明发达的社会，去了印第安纳州，没想到在南本德附近被一头发怒的麋鹿咬死了。'自那以后，正如我们所知道的，雷德鲁斯先生就脱离了人类社会，开始了隐居生活。"

随后，年轻的代理商对自己讲的故事做了一个总结，他说："我的故事可能缺乏艺术色彩，但我只是为了表明那个姑娘对于爱情的忠贞。在她心目中，和真爱相比，钱财根本就不值一提。我是如此地景仰和信任女性，以至于除了这样的结局，我再也想不到其他的了。"说完这些，他朝女乘客坐的位置看了一眼。

接下来，车夫比尔达·罗斯受梅尼菲法官邀请，参与到苹果争夺大战中，向大家讲述了他编的故事。他的故事比较简短。

"我可不是那种把不幸都归罪于女人的大坏蛋。"他说,"法官先生,关于这个故事,我所要表达的是这样的:造成这种境地的原因就是单纯的懒惰。当这个泊西瓦尔·德莱西想赶他出局,并蒙住爱丽丝的眼睛,让她沉浸在他的花言巧语中的时候,雷德鲁斯就应该狠狠地揍这个小子一顿,那样就万事大吉了。想得到一个女人怎么可能这么容易呢,你得为此花点力气才行。

"雷德鲁斯很有绅士风度地抬了抬他的斯特森呢帽,对爱丽丝说:'如果你再需要我的话,就来找我。'然后就径直走开了。他以为这样做维持了他作为大男人的尊严,其实呢,这还是懒惰。没有女人愿意主动去追男人,她们都是想'让他自己回来吧'。我断言,她肯定离开了那个有钱人,然后每天坐在窗前,等待那个留着会让人痒痒的小胡子的穷小子。

"我估计雷德鲁斯等了九年,期待着她会派人给他送个信,请求他原谅她。但是,他的愿望始终没有实现。'看来她已经放弃了,'雷德鲁斯心想,'那我也放弃好了。'于是,他开始蓄胡子,过起了隐居生活。是的,懒惰和胡子就是祸根,它们如影随行。你有见过留长胡子和长头发的幸运男人吗?没有。看看马尔巴勒公爵和经营美孚石油公司的讨厌鬼吧,他们有没有留着长头发,蓄着长胡子?

"我敢打赌,这个爱丽丝再也没有结婚。如果雷德鲁斯娶了别的女人,她也许会嫁人的。但是雷德鲁斯再也没有出现过。爱丽丝一直珍藏着他们爱情的信物,也许只是心上人的一缕头发,也许是他弄坏的胸衣上的一个钢圈。对于某些女人来说,这种东西就像丈夫一样。她孤独地为他守了一辈子。雷德鲁斯老头不理发、不换洗衬衫这样的事,不能怪到任何一个女人头上。"

马车夫的故事讲完了,下面轮到那个无足轻重的乘客了。我们只知道他是从乐园城到日出城的旅客,姓甚名谁并不清楚。

如果火光不太暗淡,借着他回应法官的这点时间,大家倒是可以看看他长什么模样。深褐色的衣服包裹着瘦小的身材，双臂抱着脚，下巴趴在膝盖上。麻絮色的头发很光滑，鼻子长长的，嘴巴跟萨蒂尔一样，上翘的嘴角显然被烟叶污染过，一双鱼眼。他的红领带被一根马蹄形别针扣着。他先"咯咯"地干笑了一阵子，才慢慢打开话匣子："到目前为止，大家都错了。大家想想，浪漫的爱情故事怎么可以没有美丽的花儿来衬托呢？哈哈，现在想起来了吧。我看好那个打着蝴蝶结、口袋里揣着支票的小伙子。

"从他们在门口分手的场景开始，是吧？那好吧。雷德鲁斯粗鲁地对爱丽丝说：'你从来就没爱过我，不然你就不会理那个为你买冰淇凌的家伙了。''我讨厌他，'爱丽丝回答道，'我讨厌他简陋的马车，也不喜欢他送给我的那些放在金色盒子里，还用花边丝带包扎的高级奶糖。当他送给我一只用蓝宝石和珍珠镶边，刻出浮雕的足金鸡心时，我都想杀了他。让他滚一边去吧，我爱的人只有你。''哼，别装了！'雷德鲁斯回敬道，'你以为我这么好骗吗？还是乖乖收起来吧，我可没那么傻。去吧，随你怎么讨厌他，不关我的事。我要去 B 大街找尼克森家的姑娘，嚼着口香糖，骑电车玩去了。'

"当天晚上，约翰·伍·克里塞斯来了。他整理着珍珠领带别针，问道：'怎么了？哭了吗？''你把我心爱的人赶走了，'小爱丽丝哭着冲他嚷道，'我讨厌见到你，哼！''那就嫁给我好了。'约翰·伍点燃一支亨利·克莱牌的雪茄说。'什么？跟你结婚？休想！'爱丽丝气呼呼地回绝道，'除非我气消了，你让我去逛街购物，而刚好门的旁边有电话，你就打电话给办事员，让他给你办结婚证。"

故事到这里停了下来，讲故事的人吃吃地笑了，一脸的嘲讽。

"他们会结婚吗？那还用问，哪有到嘴的肥肉不吃的道理？"

他自问自答地继续讲下去,"这里我还要说说雷德鲁斯老头。依我看,你们又错了。是什么导致他隐居的呢?有人说是懒惰,有人说是伤心,还有人说是酗酒。可我不这么觉得,我认为就是女人惹的祸。这个老头现在多大年纪啦?"他转向比尔达·罗斯问道。

"我想大概六十五岁吧。"

"好吧。他在这里隐居了二十年。假定分手时他二十五岁,那么应该还有二十年是我们现在所不知道的。在这不为我们所知的二十年中,他又干了什么呢?我想是这样的:他犯了重婚罪,因而在监狱里度过了二十年。我想他在圣乔有个金发碧眼的胖女人,在煎锅山有个黑发的瘦女人,在考谷还有个镶金牙的姑娘。结果她们把他告上了法庭,并且和他一刀两断。他坐了牢,刑满释放后,他说:'除了围着女人转以外,让我做什么都可以。过隐居的生活似乎还不赖,连速记员都不会去他们那里找工作。看来,还是潇洒的隐士生活适合我。梳子里再也不会有女人的长头发,烟灰缸里也不会有腌黄瓜之类的泡菜了。'你们认为老雷德鲁斯是精神不正常了,所以才认为自己是所罗门国王,是吗?哼哼,真荒唐,他本来就是所罗门国王。我的故事就是这样的。我想我肯定得不到这个苹果,这样的故事是不会被评上奖的,我已经做好了被抹掉的准备。"

梅尼菲法官规定过,不能马上就对讲完的故事发表任何评论,所以,为了避免法官的责难,故事结束后一片静默,没有人说话。之后,这个故事会的天才发起人清了清嗓子,开始了他的故事,他是最后一个参赛者。尽管坐在地上不舒服,但是你从他身上找不到一丝痛苦。渐渐暗淡下去的火光柔和地映照着他的脸,你可以看到那是一张像古币上的罗马帝王浮雕那样棱角分明的脸。

"女人的心!"他用平稳而动人的声调说,"有谁能够认真地揣摩一下女人的心思呢？男人的想法和作风各不相同，但是，我以为全天下女人的心脏跳动的节奏都是一样的，爱情旋律的基调也基本相同。对女性来说，爱情就意味着牺牲。对于一个真正而纯粹的女人来说，金钱和地位都不能和她真实的情感相提并论。

"嘿，各位先生，呃，应该是朋友们，雷德鲁斯爱情的遭遇已经被我们大家审理了一遍。可是，谁在受审呢？不是雷德鲁斯，因为他已经受到了惩罚；也不是那些情感专一、让我们的生活多姿多彩的天使们。那么到底是谁呢？是我们！今晚，我们每个人都站在受审席上，从我们讲述的故事就可以反映出我们每个人的心灵是黑暗还是崇高。女性中最优秀的一位代表就坐在这里审判我们。她手里拿着奖品，奖品本身价值不大，但却值得我们大家努力去争取，因为它是我们这位最具有代表性的女性评委认可和鉴定后的产物。

"首先，在描绘我所猜想的雷德鲁斯和他心爱的姑娘的故事之前，我必须严正声明，我决不赞成这样卑劣的想法，说雷德鲁斯看破红尘是因为女人的自私、不忠，或是爱慕虚荣。我认为，女人从来都不会如此的庸俗势利、崇拜金钱。我们必须要在其他的地方，在男人卑劣的本质和低俗的动机中寻找原因。

"在那个难忘的日子里，有一对年轻的情侣站在门口，十有八九他们是吵架了。年轻的雷德鲁斯不堪忍受嫉妒的折磨，就此离家出走了。是什么导致他这样做呢？哪方面的理由都缺乏证据。但是有比证据更具有说服力的，那就是女人善良、坚贞和不受钱财诱惑的伟大而坚定的信念。

"我能想象那个鲁莽的男人自怨自艾地到处流浪的情景。我能想象他逐渐消沉，直到发现他丢掉了上天赐给他的最珍贵的礼物时绝望的样子；以至于后来他想从这个伤心的尘世隐退，再到后来精神崩溃，都是情理之中的事。

"另一方面，那个姑娘怎么样了呢？我想的是：一个孤苦伶门的女人在时间无情的摧残下逐渐老去，青春不再，容颜不再。但是她依旧忠于她的情人，一直在等待着，每天在窗前凝望，在楼梯旁聆听，期待着熟悉的身影和脚步声再次到来。现在，她已经老了，头发花白，整齐地扎在一起。她依然每天坐在门前，满怀希望地凝望着尘土飞扬的马路。她以为这就是当年的那个大门口，他只是出去了，早晚会回来的。看，这就是女人，我对她们充满了信心。已经不可能再见面了，但是依然在等！她企望他们能在极乐世界重新相会，而他则在绝望的泥潭里期待能再次见面。"

"我还以为他在疯人院里呢。"又是那个无足轻重的乘客插了一嘴。

梅尼菲法官稍微动了一下，有点不耐烦了。男人们都无精打采，歪歪扭扭地坐着。风势减小了，断断续续地吹着。炉火已经烧成了一大块红炭，在屋子里闪着暗淡的光。女乘客坐在角落里，看上去很舒适。她光滑的头发整齐地盘绕着，长长的皮围脖中间露出一小块雪白的皮肤。

梅尼菲法官活动着僵直的腿，站了起来。他对女乘客说："加兰小姐，我们的故事会已经结束了，现在该由你准备颁发奖品了，把奖品发给你认为故事讲得最接近你的想法的人。这里我要补充一下，故事中尤其要对女性做出他自己的评价。"

然而，大家都没有听到女乘客的声音。梅尼菲法官关切地弯下身子去看。这时，那个无足轻重的乘客低声地笑了起来，声音里满是讽刺。原来，女乘客正睡得香甜呢。梅尼菲法官想拉她的手叫醒她。可是，就在他伸手的时候，他在她的膝盖上碰到了一个冰凉的、不规则的圆形小东西。

"啊，她把苹果吃掉了！"梅尼菲法官拿起苹果核给大家看，满脸的错愕。

感恩节的两位绅士

有一天是属于我们的。到了那一天,只要不是从石头里蹦出来的美国人,都会回到自己的老家,吃着苏打饼干,看着门口的旧抽水机,觉得它好像比以前更靠近门廊,不禁暗自纳闷。祝福那一天吧。罗斯福总统把它给了我。我们听到过一些有关清教徒的传说,但却记不清他们是什么样的人了。不用说,假如他们再想登陆的话,我们准能把他们打得屁滚尿流。普利茅斯岩石吗?唔,这个名称倒是有些耳熟。自从火鸡托拉斯垄断了市场以后,许多人不得不放低标准,改吃母鸡。不过,华盛顿又有人走漏风声,把感恩节公告预先通知了他们。

越桔沼泽地东边的那个大城市使感恩节成为法定节日。一年之中,唯有在十一月的最后一个星期四,那个大城市才承认渡口以外的美国。唯有这一天才纯粹是美国的。是的,它是独一无二的美国的庆祝日。

现在有一个故事可以向你们证明:在大洋此岸的我们也有一些日趋古老的传统,并且由于我们的奋发和进取精神,这些传统趋向古老的速度比在英国快得多。

在联合广场喷水泉对面的人行道旁边,斯塔弗·彼特坐在东入口右边的第三条长凳上。九年来,每逢感恩节,他总是不早不晚，在一点钟的时候坐在这里。他每次坐在这里，总有一些意外的遭遇——查尔斯·狄更斯式的遭遇，使他的坎肩胀过心口，背后也是如此。

不过，斯塔弗·彼特今天出现在一年一度的约会地点，似乎是出于习惯，而不是出于一年一度的饥饿。根据慈善家们的看法，穷苦人似乎要隔那么长的时间才遭到饥饿的折磨。

当然了，彼特一点也不饿。到这里之前，他刚刚吃了一顿大餐，如今只剩下呼吸和挪动的力气。他的眼睛活像两颗浅色的醋栗，牢牢地嵌在一张浮肿的、油水淋漓的油灰面具上。他短促地、呼哧呼哧地喘着气。脖子上一圈参议员似的肥肉，使他翻上来的衣领失去了时尚的意义。一个星期前，救世军修女仁慈的手指替他缝在衣服上的钮扣，像玉米花似的爆开来，在他身边撒了一地。他的衣服固然褴褛，衬衫前襟一直豁到心口，但夹着雪花的十一月的微风给他带来了一种惬意的凉爽。因为那顿特别丰富的饭菜所产生的热量，使得斯塔弗·彼特不胜负担。那顿饭以牡蛎开始，以葡萄干布丁结束，包括他所认为的全世界的烤火鸡、炖土豆、鸡肉沙拉、南瓜派和冰淇淋。现在，他肚子鼓鼓地坐着，带着撑得慌的神情看着周围的一切。

那顿饭完全出乎他的意料。他路过第五大道起点附近的一幢红砖住宅，里面住着两位出身古老世家，尊重传统的老太太。她们甚至不承认纽约的存在，并且认为感恩节是为了华盛顿广场才制定的。她们的传统习惯之一，是派一个佣人等在侧门口，吩咐他在正午过后把第一个饥饿的过路人请进来，让他大吃大喝，饱餐一顿。斯塔弗·彼特去公园时，碰巧路过那里，于是被管家请了进去，成全了城堡里的传统。

斯塔弗·彼特直愣愣地朝前面望了十分钟后，很想换换眼前的风景。他费了很大劲，才慢慢把头扭到左边。就在这时，他的眼球惊恐地突了出来，他的呼吸停止了，他那穿着破皮鞋的短脚在砂地上簌簌地扭动着。

因为有位老先生正穿过第四大道，朝他坐着的长凳走过来。

九年来，每逢感恩节，这位老先生总是到这里来寻找坐在长凳上的斯塔弗·彼特。老先生想把这件事当做一个传统。九年来的每一个感恩节，他总是在这儿找到斯塔弗，带他到一家饭馆里，看他饱餐一顿。这种事在英国是很自然的。然而，美国是个年轻的国家，能坚持九年已经很不错了。老先生是忠实的美国爱国者，并自认为是创立美国传统的先驱之一。为了引起人们的注意，我们必须长期坚持做一件事情，丝毫不能放松。比如收集每周几毛钱的工人保险费啦，打扫街道啦，等等。

老先生庄重地朝着他所培植的制度笔直走去。确实，斯塔弗·彼特一年一度的感觉并不像英国的大宪章或者早餐的果酱那样具有国家性，不过它至少是向前迈了一步。它几乎有点封建意味。它至少证明了在纽——唔！——在美国，树立一种习俗并不是不可能的。

老先生又高又瘦，年过花甲。他穿着一身黑衣服，鼻子上架着一副不大稳当的老式眼镜。他的头发比去年白了一点，也稀了一点，而且好像比去年更倚重那支粗而多节的曲柄拐杖了。

斯塔弗·彼特眼看着他的老恩人走近，不禁呼吸短促，直打哆嗦，正如某位太太过于肥胖的狮子狗看到一条野狗对自己呲牙竖毛时那样。他很想跳起来逃跑，可是，即使桑托斯-杜蒙施展出浑身解数，也无法使他与长凳分开。那两位老太太的忠心家仆办事真是得力。

"你好！"老先生说，"我很高兴看到一年的光阴对你并没有什么影响，你仍然健康地活在这个美好的世界上，逍遥自在。仅仅为了这一点幸福，今天这个感恩节对我们两人都有很大的意义。假如你愿意，朋友，我准备请你吃顿饭，让你的身心协调一些。"

老先生每次都说这些同样的话。九年来的每一个感恩节莫不如此。这些话本身几乎成了一个制度。除了《独立宣言》之外,没有什么可以和它相比了。以往在斯塔弗听来,它们就像音乐一般美妙。而今他却愁眉苦脸,眼泪汪汪地抬头看着老先生的脸。细雪落到斯塔弗大汗淋漓的额头上,几乎嗞嗞发响。但是,老先生却在微微打战,他掉转身子,背朝着风。

斯塔弗一直以来都很纳闷,老先生说话时的神情为什么这么悲伤。他不明白,因为老先生每次都希望有一个儿子来继承他的事业。他希望自己去世后有一个儿子能来到这个地方——一个壮实自豪的儿子,站在斯塔弗一类的人面前说:"为了纪念家父。"那样一来就真的成为一个制度了。

然而,老先生没有亲属。在公园东边一条偏僻的街道上,有一座败落的褐石住宅,他在那里租了几间屋子。冬天,他在一个比衣箱大不了多少的温室里种些倒挂金钟。春天,他参加复活节的流行活动。夏天,他在新泽西州山间的农舍里寄宿,坐在柳条扶手椅上,谈着他一直希望找到的某种扑翼蝴蝶。秋天,他请斯塔弗吃顿饭。老先生做的事就是这些。

斯塔弗抬起头看了他一会儿,自怨自艾,烦恼万分,但又毫无办法。老先生的眼睛里闪烁着助人为乐的光芒,他脸上的皱纹一年比一年深,但他那小小的黑领结依然十分神气,他的衬衫又白又挺括,他那两撇灰胡须典雅地翘着。斯塔弗发出一种像是锅里煮豌豆的声音。他原想说些什么,这种声音老先生已经听过九次了,他理所当然地把它当成斯塔弗表示接受的老一套话。

"谢谢您,先生!非常感谢,我跟您一起去。我饿极啦,先生!"

饱胀引起的昏昏沉沉的感觉,并没有动摇斯塔弗脑子里的信念:他是某种制度的基石。在感恩节这天,他的胃口不属于自己,而属于这位占有优先权的慈祥的老先生。因为即使不根据实际的起诉期限法，也得考虑到既定习俗的神圣权利。没错，美国是一个自由的国家。为了建立传统，总得有人充当循环小数呀。英雄们不一定非得使用钢铁和黄金。瞧，这儿就有一位英雄，仅仅挥弄着马马虎虎镀了银的铁器和锡器。

老先生带着这个一年一度的受惠者，往南走到那家饭馆和那张年年举行盛宴的桌子。他们给认出来了。

"老头子来啦，"一个侍应生说，"他每年感恩节都请那个穷光蛋吃上一顿。"

老先生坐在桌子对面，正对着他那将要成为古老传统的基石，脸上发出像熏黑的珠子似的光芒。侍应生在桌子上摆满了节日的食物——斯塔弗叹了口气（别人还以为这是饥饿的表示呢），举起刀叉，为自己刻了一顶不朽的桂冠。

即使是在乱军中杀开一条血路的英雄都没有他这样勇敢。火鸡、肉排、汤、蔬菜、馅饼，一端到他面前就马上不见了。他走进饭馆的时候，肚子里已经塞得满满当当，食物的气味几乎使他丧失了绅士的荣誉，但他却像一个真正的骑士，打起精神，战斗到底。他看到了老先生脸上那行善的快乐——倒挂金钟和扑翼蝴蝶带来的快乐都不能与之相比——他实在不忍扫老人的兴。

一个小时后，斯塔弗往后一靠。这一仗已经打赢了。

"谢谢您，先生，"他像一根漏气的蒸气管子那样呼哧呼哧地说，"谢谢您赏了一顿美味的中饭。"

接着，他两眼发直，费劲地站起身来，朝厨房走去。一个侍者把他像陀螺似的打了一个转，推他走向门口。老先生仔仔细细地数出一块三毛钱的小银币，同时给了侍应生三枚镍币作为小费。

他们像往年那样在门口分了手，老先生往南，斯塔弗往北。

在第一个拐角上，斯塔弗转过身来，站了一会儿。接着，他那破旧的衣服像猫头鹰的羽毛似的鼓了起来，他自己则像一匹中暑的马那样，倒在了人行道上。

救护车来了，年轻的医师和司机低声咒骂他的笨重。既然没有威士忌的气息，也就没有理由把他移交给警察局的巡逻车，于是，斯塔弗和他肚子里的双份饭菜都给带到医院里去了。他们把他抬到医院里的床上，开始检查他是不是得了某些怪病，希望有机会用尸体解剖来发现一些问题。

瞧！过了一个小时，另一辆救护车把老先生也送来了。他们把他放在另一张床上，谈论着阑尾炎，因为从外表来看，他是付得起钱的。

但是没多久，一个年轻的医师碰到了一个眼睛讨他喜欢的年轻护士，便停住脚步，跟她谈了谈病人的情况。

"那个体面的老先生，"他说，"你可能不会相信，他快要饿死了。以前大概是名门世家，现在落魄了。他对我说，他已经三天没有吃东西了。"

言外之意

　　他刚从德斯布罗萨斯街的渡口出来的时候,就吸引了我的注意。他看起来像是个游历过世界各地的人,他来到纽约就像是离开多年的君主重新回到了自己的领地。但是我确定,尽管他看起来派头十足,但一定还从未踏足过这个铺满了滑溜溜的鹅卵石的街道,从未踏足过这个满是哈里发[①]的城市。

　　他衣着宽松,衣服颜色古怪,蓝中带点褐色。头戴一顶圆圆的老式巴拿马草帽,没有像北方的时尚人士那样在帽檐上捏出锯齿状花纹或一个倾斜的角度。而且,他是我见过的最丑的人。他丑得不仅令人讨厌,还让人吃惊,他那副林肯式的崎岖不平的轮廓和歪歪扭扭的五官简直让人觉得惊愕和不安。从渔夫捞到的瓶子里蹿出的一股妖气所幻化出的怪物,差不多也就是这个样子吧。后来他告诉我,他叫贾德森·塔特,为方便起见,后文就这样称呼他。他脖子上系着绿色的黄玉环扣住的丝绸领带,手里握着用鲨鱼脊骨做成的手杖。

　　贾德森·塔特过来向我打听这个城市的街道和旅馆的情况,看起来像是故地重游,只是有些细节记不清了。我觉得实在没有什么理由贬低我自己住的那家旅馆,它位于市中心,但是很安

[①] 哈里发:伊斯兰教国家政教合一的领袖称号,一般都有钱有势。

静。于是，下半夜，我们酒足饭饱之后（是我付的账），便打算在那家旅馆的休息室里找个安静的角落里坐一坐，抽支烟。

贾德森·塔特似乎想把心里话告诉我。他已经把我当朋友了。他每说完一句话，我就看见在我鼻子前面不到六英寸的地方晃动着一只大手。那手跟轮船大副的手一样粗大，已经被鼻烟染黄了。我禁不住想，他对陌生人怀有敌意时是不是也这么突兀。

当他开始跟我讲话的时候，我发现他身上散发出一种力量。他的声音像是有说服力的乐器，被他用某种华丽但却有效的技法演奏着。他并没有刻意让你忘记他丑陋的外貌，反而会在你面前炫耀，使它成为他魅力演讲的一部分。闭上眼睛，循着这捕鼠人的笛声，你至少能走到哈米里恩的城墙边。当然，你不会天真到一直跟着他吧。但是，如果他把他说的话谱上曲子，你还是觉得枯燥的话，就应该去找音乐的麻烦了。

"女人，"贾德森·塔特说，"真是不可思议的动物。"

我的心一沉。我可不想再听这种老掉牙的言论——不想这种粗俗肤浅、枯燥乏味、逻辑混乱、漏洞百出，早就给驳倒了的荒谬论断——这是女人自己创造出来的古老、无聊、狡猾、可恶、骗人的无稽之谈；这是女人采取的卑劣、秘密和欺诈的手段，通过含沙射影、坑蒙诱骗等方式，巧妙地散布、传播和灌输给男人的，目的就是为了促进、加强和证明她们自己的魅力，实现她们的阴谋。

"哦，原来是这样！"我用当地话回答道。

"你听说过奥拉塔玛吗？"他问我。

"可能听说过。"我回答说，"我隐约记得是一个芭蕾舞演员——或者是一个郊区——也可能是一种香水的名字吧？"

"那是一个小镇，"贾德森·塔特说，"位于某个国家的海岸上。那个国家的情况，你不会知道，也不可能了解。它由一个独裁者统治，经常发生革命和叛乱。就在那儿，上演了一幕伟大的生活戏剧，由美国最丑的人贾德森·塔特、在历史和小说中都称得上最帅气的冒险家弗格斯·麦克马汉，以及奥拉塔玛镇镇长美貌的女儿安娜贝拉·萨莫拉担任主演。值得一提的是——除了乌拉圭三十三人省以外，世界上没有生长这种植物的地方。我提到的这些产品有贵重木材、燃料、黄金、香蕉、象牙和可可。"

"我还不知道南美洲盛产象牙呢。"我说。

"那你就大错特错啦。"贾德森·塔特说，声音美妙动听，至少跨越了一个八度音阶，"我并未说我所谈论的国家是在南美洲呀——我必须行事谨慎，亲爱的朋友。你知道的，我在那里曾参与过政治。尽管我跟那个国家的总统下过棋，棋子是用貘的鼻骨雕成的——这是一种奇蹄类哺乳动物，生活在安第斯山脉——那种棋子和象牙一样美丽，如果你想见识见识的话。

"但是我将要告诉你的不是动物，而是关于浪漫和冒险，以及女人的故事。

"我一直在老桑乔·贝纳维德斯——这个共和国至高无上的独裁者背后，统治了这个国家十五年。你应该在报上见过他的相片——一个没用的黑人，脸上的胡子像是瑞士音乐盒圆筒上的钢丝，右手拿着一个卷轴，就像是记录家谱的《圣经》扉页一样。这个巧克力色的统治者向来都是种族分界线和纬线之间最引人注目的角色。他是会进入荣誉的殿堂，还是会引火上身，这都很难说。那时要不是格罗弗·克利夫兰在位，他一定就是南方大陆的罗斯福了。他总是连任两届国家元首后，指定一个暂时的接任人，退休一段时间再重新执政。

"但'解放者'贝纳维德斯并不是靠自己赢得所有的声誉，而是靠贾德森·塔特。贝纳维德斯不过是个傀儡。我总是在背后指点他什么时候宣战，什么时候提高进口税，什么时候穿礼服。但我不是要给你讲这个。我是怎样成为一个幕后操纵者的呢？我来告诉你。因为，自从亚当睁开眼睛，把嗅盐瓶推到一边，并发出'我在哪儿'的声音以来，在所有会发声的人中，我是最有天赋的演讲家。

"正如你所见，除了新英格兰早期的基督教科学家们的画，我几乎是你这辈子见过的最丑的人。因此，在很年轻的时候，我就意识到我必须用雄辩的口才来弥补相貌上的不足。我成功了。我想要得到的东西也都得到了。作为老贝纳维德斯的幕后策划人，历史上所有伟大的幕后人物，如塔利兰、庞巴杜夫人和洛布，与我相比，都渺小得就像俄国杜马中少数派的提案一样。我可以用三寸不烂之舌让这个国家成为债务国或债权国，让军队在战场上沉睡，减少暴动、骚乱，降低税收、拨款或者顺差，凭我鸟儿一样的哨音召唤战争之犬或和平之鸽。别的男人有美貌、肩章、卷曲的胡须和希腊式的面庞，这些跟我毫不相干。人们见到我的第一眼就会瑟瑟发抖。但只要我一开口，十分钟内，他们准会被我折服，除非他们得了心绞痛，并且已经到了晚期。不论男女，只要碰到我，都会被我迷倒。当然，你一定认为女人不会喜欢上长成我这样的男人，是吧？"

"哦，不，塔特先生。"我说，"吸引女人的丑男子常常会给历史带来光彩，让小说索然无味。我觉得……"

"对不起，"贾德森·塔特打断了我的话，"你可能还不是很明白我的意思。那么继续听我的故事吧。"

"弗格斯·麦克马汉是我在首都的一个朋友。我承认他是一个确实英俊的男人。他有着金色的鬈发，满含笑意的蓝眼睛，端正的五官。人们说他看起来活像墨斯先生——摆在罗马某个博物馆里那个叫赫尔墨斯的演讲与口才之神的塑像。我猜那大概是某个德国的无政府主义者。那种人总是絮絮叨叨，说个没完。"

"不过，弗格斯没有演讲的天分。他认为只要长相好，什么都办得到，这是他从小就形成的观念。他讲话听起来就好像你正想睡觉，却听到床头有水滴落到铁皮碟子上的感觉一样。但是我们却成了朋友——也许是因为他和我恰好相反吧，你说呢？当我刮胡子时，弗格斯似乎就很高兴，因为我那张脸看起来就像是万圣节前夜戴着面具的鬼脸；而无论何时，当我听到他讲话时喉咙里发出微弱的嗓音，就觉得做一个能舌战群儒的丑八怪也很不错。

"有一天，我觉得很有必要去一趟奥拉塔玛这个滨海小镇。那里发生了一些政治暴动，我要去处理一下，顺便在海关和军部砍掉几个人。弗格斯，这个拥有该共和国冰块和硫磺火柴买卖许可证的家伙，说想和我一起去。

"于是，在骡队丁丁当当的铃铛声中，我们长驱直入，进驻了奥拉塔玛小镇，使那里变成了我们的地盘。这就像西奥多·罗斯福在奥伊斯特海湾时，长岛海峡就不属于日本人了一样。尽管我说的是'我们'，事实上只指'我'。任何去过四个国家、两个海洋、一个海湾、一个地峡，以及五个群岛的人，都听说过贾德森·塔特的大名。他们称呼我为'有教养的冒险家'。黄色报纸用了五个专栏介绍我的事迹，某个月刊也用了四万字，包括花边装饰——来记载，而《纽约时报》第十二版的整个版面都在报道我。如果说弗格斯·麦克马汉的帅气为我们在奥拉塔玛赢得了一丁点欢迎的话，那我就把我那巴拿马草帽里的标签吃下去。他们大张旗鼓完全是为了欢迎我。我不是一个爱妒忌的人，我只是在阐述一个事实。这里的人都是尼布甲尼撒，他们在我面前的草地上跪拜，这个镇里没有泥土可以供他们跪拜。他们对贾德森·塔特顶礼膜拜。他们知道桑乔·贝纳维德斯背后的主宰者是我。对他们来说，我的话比东奥罗拉图书馆书架上所有毛边书籍里任何人的话都管用。仍然有人把时间花在他们的脸上，擦面霜，按摩面部肌肉，按摩眼睛内角，用安息香酊防止皮肤松弛，用电疗来除黑痣，最终目的是什么呢？就是想变漂亮。噢，这是多大的错误啊！美容师们应在喉咙上大作文章。真正起作用的是言语而不是痣,是三寸不烂之舌而不是花容月貌,是妙语连珠而不是香脂水粉,是自如的谈吐而不是爽身粉,是留声机而不是照片。现在还是让我们言归正传吧。

"当地有头有脸的人安排我和弗格斯下榻在蜈蚣俱乐部,那是建在海边桩子上的一座木头建筑物。涨潮的时候,海水和房子只差九英寸。当地大大小小、有钱有势的家伙都来这里拜访致敬。噢,他们并不是冲着赫尔墨斯先生来的,而是早就耳闻了贾德森·塔特的大名。

"一天下午,弗格斯·麦克马汉和我坐在蜈蚣旅馆朝海的回廊里,喝着加了冰块的朗姆酒聊天。

"'贾德森,'弗格斯说道,'在奥拉塔玛有一个天使。'

"'只要不是加百列,'我说,'为什么你说到这个的时候看起来像是听到了最后审判的号角声?'

"'是安娜贝拉·萨莫拉小姐啦。'弗格斯说,'她,她,她简直美极了!'

"'哇塞!'我不由得大笑着说,'你描绘你的爱人时,口才倒真是不赖啊。这让我想起了浮士德追求玛格丽特的故事,也就是说,就算他掉进了舞台的活板门底下,他还是会追求她。'

"'贾德森,'弗格斯说,'你知道你自己就像犀牛一样长得不好看,你是不会对女人有兴趣的。可是,我对安娜贝拉小姐真的着迷了,所以我才会告诉你这些。'"

"'哦,的确如此。'我说,'我知道我长得就跟尤卡坦杰斐逊县那个守着根本就不存在的宝藏的印第安阿兹特克神像一样。但是,对于我的外貌,可以由其他的东西来补偿。比如说,在这个国家里,我是高高在上的人物。而且,当我忙于用嗓子、声音以及喉咙和人们辩论时,我可不是那种廉价的留声机,只知道重复那些疯言疯语。'

"'是的,我知道,'弗格斯亲切地说,'不管是高谈阔论还是

闲聊胡侃，我都不擅长。这就是我为什么要跟你说的原因，我需要你的帮助。'

"'要我怎么帮你呢？'我问道。

"'我已经贿赂了弗朗西斯卡，她是安娜贝拉小姐的保姆。'弗格斯说，'贾德森，在这个国家，你有极好的声望，是一个大人物。'

"'嗯，我知道。'我说，'这是我应得的。'

"'而我呢，'弗格斯说，'则是北极和南极之间最英俊帅气的人。'

"'如果仅限于相貌和地域，'我说，'我倒是没什么意见。'

"'我们两个人，'弗格斯说，'我们应该能够把安娜贝拉·萨莫拉小姐搞到手。你知道，这位小姐出身于一个古老的西班牙家族，人们只能每天下午远远地看着她坐在马车上绕着广场转悠，或者傍晚在栅栏窗外瞥她一眼。她就像天上的星星一样遥不可及。'

"'把她搞到我们中哪个人手上啊？'我问道。

"'当然是我了。'弗格斯说，'你从来没有见过她。有好几次，我让弗朗西斯卡把我当做你，指给安娜贝拉看。她在广场上看见我的时候，还以为自己看到的就是堂·贾德森·塔特这个全国最伟大的英雄、政治家和传奇人物呢。把你的名声和我的外貌融于一人，她怎么抗拒得了呢！她听过你的传奇故事，又见过我的俊美。一个女人还有什么可追求的呢？'弗格斯·麦克马汉说。

"'她就不能退而求其次吗？'我问道，'我们怎么各尽其能、展现魅力，然后又怎样分享战果呢？'

"弗格斯告诉了我他的安排。

"他说，镇长堂·路易斯·萨莫拉的住处有一个院子，当然是那种临着街道的院子。院内一角是他女儿房间的窗户，你再也找不到比这更隐秘的地方了。你猜他要我干什么？他知道我口才好，深谙讲话的技巧，言谈充满魅力，于是就让我半夜到院子里去，向萨莫拉小姐求爱，代替他——也就是萨莫拉在广场上见过的，以为是堂·贾德森·塔特的那个英俊男子。因为半夜的时候，她看不清我这张鬼脸。

"我为什么不能为我的朋友弗格斯·麦克马汉做这件事呢？他来请我帮忙，就是对我的认可，同时也是承认了他自己的缺点。

"'你这个跟白百合一样漂亮、金发、精雕细琢、不会说话的小雕塑，'我说，'这个忙我可以帮。你去安排一下，晚上带我到她的窗外，我会在月光颤音的伴奏下，把动听的语言如涓涓细流般注入她的心田，她就是你的了。'

"'藏好你的脸，贾德。'弗格斯说，'以上帝之名，保证把你的脸藏好。从感情上说，我们是好朋友。但是，不要小瞧这件事，这可是桩交易。如果我自己可以办到，我也不会麻烦你了。现在她见过我的英俊潇洒，又将听到你的声音，我想，我没有理由得不到她。'

"'让你得到她？'我问道。

"'是啊，就是我。'弗格斯说。

"弗格斯和保姆弗朗西斯卡把细节都安排好了。一天晚上，他们替我准备了一件高领的黑色斗篷，在深夜的时候把我带到院子里。我一直站在院子里的窗户下面，直到听到栅栏那边传来一个天使般温柔甜美的声音。隐隐约约中，我只看见里面有一个白色的身影。为了忠于弗格斯，同时也因为时值七月，气候潮湿，夜里很冷，所以我就把斗篷领子翻了上来。一想到弗格斯的笨嘴拙舌，我就忍不住想笑；但我还是强忍住，开始对这位小姐说话。

"呵呵，先生，我对安娜贝拉小姐说了一个小时的话。这里我之所以说'对她'，而不是'和她'，是因为她没有跟我说话，只是时不时说上一句'哦，先生'或是'哦，你是骗我的吧？'或者'我知道你不是那个意思'等等，就是男人用得体的方式求爱时女人都会说的那些话。我们两人都会说英语和西班牙语，所以我就用这两种语言，竭尽全力为我的朋友弗格斯赢得这位美女的芳心。如果窗边没有栅栏，我想一种语言就足够了。一个小时后，她给了我一朵大大的红玫瑰让我离开。我一回去，就把花转交给弗格斯了。

"每隔三四个晚上，我就扮成我的朋友到安娜贝拉小姐的窗户下面去一次，这样一直坚持了三周。终于，她承认她已经把心交给我了，还说每天下午驾车去广场的时候都看到了我。当然，她每次见到的都是弗格斯。但是，是我的情话赢得了她的芳心。想象一下，如果深夜的黑暗中站着的是弗格斯自己，他一句话也不会说，那看不见的帅气又有什么用呢！

"最后一晚，她答应要跟我结婚，事实上，是跟弗格斯。她把手从栅栏里伸出来让我亲吻。我照做了，并把这个消息告诉弗格斯。

"'那件事应该留给我来做。'他说。

"'以后就是由你来做啦。'我说，'你要不停地吻她，不要尝试说话。这样的话，也许她爱上你以后，就不会注意到你的谈话和以前有什么不同，也不会在意你口齿不清或者瓮声瓮气了。'

"你知道，直到那个时候，我还从来没有正面见过安娜贝拉小姐呢。第二天，弗格斯邀请我一起去广场，加入到奥拉塔玛日常的社交活动中，我对这些本来没有什么兴趣。但我还是去了。一看到我的脸，小孩和狗都往香蕉林和红树沼地上逃。

"'她来啦，'弗格斯捻着胡子说，'坐在黑马拉的敞篷车里，穿着白衣服的那个就是。'

"看到她的时候，我觉得脚底下的地面都在晃动。因为对贾德森·塔特来说，世界上最美的女人就是安娜贝拉·萨莫拉小姐，并且从贾德森开始注意的那一刻起，她就是世界上最美的女人。从见到她的那一刻起，我就知道我必须永远属于她，而她也必须永远属于我。但是一想到自己的脸，我几乎昏厥。随即我就想到了自己其他方面的才能，于是又站直了。而且我曾经代替一个男人追求了她三个星期呢！

"安娜贝拉小姐的马车缓缓驶过时，她用那双深黑色的眼睛久久地看了弗格斯一下，目光里写满了温柔。那眼神足以让贾德森·塔特仿佛坐着胶轮车飞上天堂一般。但是，她压根就没有看我一眼。同时，这个英俊帅气的家伙在我身边拢了拢他的头发，兴高采烈地向她傻笑，看起来简直就像个淑女杀手。

"'贾德森，你觉得她怎么样？'弗格斯炫耀似的问道。

"'就是这样。'我说，'她将成为贾德森·塔特夫人。我从来不对朋友耍花样，所以有言在先。'

"我当时怀疑弗格斯会因狂笑而窒息。

"'哈哈，好，好，'他说，'你这个老怪物！你也被她吸引住了，是吗？啊哈，太棒了！不过，这已经太迟啦。弗朗西斯卡告诉我，安娜贝拉一天到晚就知道谈起我，其他的都不关心。当然，非常感谢你晚上对她发出的动听的声音。不过我想，如果是我自己做这件事，也会成功的。'

"'贾德森·塔特夫人。'我说，'不要忘了这个称呼。你俊美的外貌是由我的舌头来配合的。你不会把你的外貌借给我，所以我也要把我动听的声音收回来。请记住这个称呼，贾德森·塔特夫人，它将印在两英寸宽、三英寸半长的名片上。'

"'很好。'弗格斯说着又大笑起来，'我跟她的父亲，镇长先生说起过，他已经同意了。明天晚上，他要在他的新仓库里举行招待舞会。贾德，我倒是很期待你能来见见未来的麦克马汉夫人，如果你会跳舞的话。'

"第二天傍晚，在萨莫拉镇长举行的舞会上，当音乐奏得最响亮的时候，贾德森·塔特穿着干净的新麻布套装走了进去，那神情似乎是这个国家最伟大的人物一样，当然事实也正是如此。

"一看到我的脸，有几个乐师的演奏马上走了调，其中一两个最胆小的小姐禁不住尖叫了两声。只有镇长连蹦带跳地跑过来，向我深深地鞠了一躬，他的额头几乎可以擦掉我鞋子上的灰尘。仅仅相貌好看是不会为我的出场赢得如此轰动的效应的。

"'我听说您的女儿美貌非凡，'我说，'萨莫拉先生，如果能见她一面，那将是我莫大的荣幸。'

"靠墙放着大概六打柳条做的摇椅，上面系满了粉红色的丝带。其中一把椅子上坐着安娜贝拉小姐，她穿着白棉布衣服和红便鞋，头发上带着珍珠和萤火虫。弗格斯在屋子的另一头，正努力摆脱两个栗色女孩以及一个巧克力色女孩的纠缠。

"镇长把我带到安娜贝拉面前，并向她做了介绍。一看到我的脸，她吓得丢掉了手里的扇子，几乎让摇椅翻倒。这种情形我早已司空见惯了。

"我在她的身边坐下来，开始跟她说话。一听到我的声音，她就愣住了，眼睛睁得跟鳄梨一般大。她难以把我的声音和我的外貌联系起来。我一直保持着对女人所用的 C 调跟她聊着。不一会儿，她便恬静地靠在椅子上，眼睛里充满了陶醉的神情。她慢慢地跟上我的思维了。她听说过有关贾德森·塔特的事情，知道他是一个多么了不起的大人物，做过许多伟大的事业，这正是我所期待的。但是，当她发觉伟大的贾德森并不是人家指给她看的那个英俊的男子时，有些震惊也是在所难免的。接着，我用西班牙语和她说话，在某种特殊情境下，这种交流会比英语更好。我像摆弄一个有数千根弦的竖琴那样运用自如，从降 C 调一直到 F 高半音。我把我的声音应用在诗歌、艺术、传奇、鲜花和月光上。我还背了几句晚上在她窗前念给她听的诗。从她目光中突然闪现的温柔里，我知道，她已经认出了我就是午夜那个神秘的求爱者。

"不管怎样，弗格斯·麦克马汉被我打败了。哈，你看，声音才是真正的艺术，这一点毋庸置疑。言语漂亮，才是真正的漂亮。有句谚语应当改成这样。

"当弗格斯拉着个苦瓜脸和那个巧克力色的姑娘跳华尔兹的时候，我和安娜贝拉小姐正在柠檬树林里散步。回去之前，我得到她的许可，可以在第二天半夜时到她窗下和她聊天。

"呵呵，我们进展得很顺利。还不到两个星期，我和安娜贝拉就订了婚。弗格斯出局了。但是，仗着自己的英俊帅气，他表现得很镇定，并且对我说他不会放弃。

"'口才固然重要，贾德森，'他对我说，'尽管它从来没有引起我的重视。但是，你以为一听到晚宴的铃声就会出现丰盛的晚餐吗？就凭你那副尊容，别以为几句话就能博得女人的欢心。'

"我还没开始讲故事的正文呢。

"有一天，我在炙热的阳光下骑了很久的马，然后在镇子旁边的礁湖里洗了一个冷水澡。"

"天黑以后，我去镇长家看安娜贝拉。那会儿我每天傍晚都照例去她家看她，我们计划一个月后结婚。她看起来就像是一只夜莺、一头羚羊、一朵蔷薇，她的眼睛就像是银河上撒下来的两夸脱奶油那样明亮而柔和。现在，看到我那丑陋的脸，她没有一点害怕或厌恶的样子。说实话，我觉得她看我的眼神里充满了钦佩和爱慕，就跟她在广场上看弗格斯的眼神一样。

"我坐了下来，向安娜贝拉打开了话匣子，讲她爱听的话，我说她是个托拉斯，集世界上所有的美好于一身。我张开嘴巴，但是发出的不是往常那动听的甜言蜜语，而是微弱的嘶嘶声，就像患了喉炎的婴儿发出的声音一样。我说不出一个字，一个音节，哪怕是一丝清晰的响声。都是那个惹祸的冷水澡，让我的嗓子着凉了。

"在两个小时中，我尝试着让安娜贝拉开心。她也说了一些话，不过有点敷衍应付，索然无味。简单点说，我的声音跟退潮时蛤蜊所唱的'海洋里的生活'是最接近的。安娜贝拉的眼睛似乎也不像往常那样频频地注视我了。我没有什么可以吸引她的耳朵。我们一起看看画，她偶尔弹弹吉他，弹得非常糟糕。我要走的时候，她态度冷淡，至少没有完全把我放在心上，有点三心二意。

"一连五个晚上都是如此。

"第六天，她跟弗格斯·麦克马汉跑了。

"据说他们乘游艇去了伯利兹城。在他们离开八个小时以后，我乘税务署的一条小汽艇开始追赶。

"上船之前，我先去了老曼纽尔·伊基托的药店，他是一个印第安混血药剂师。我说不出话来，只好指着自己的喉咙，发出蒸汽泄逸的声音。他开始打呵欠，按照当地的习惯，我要等一个小时呢。我穿过柜台，一把抓住他的喉咙，又指了指我自己的。他又打了一个呵欠，把一个盛着黑色液体的小瓶塞到我的手里。

"'每隔两个小时吃一小匙。'他说。

"我扔给他一块钱，赶回汽艇上。

"在安娜贝拉和弗格斯的游艇到达伯利兹城海港后，我的汽艇也赶到了，只是比他们晚了十三秒。他们的小渔船刚向岸边划去的时候，我船上的小舢板就放了下去。我想吩咐水手们划快些，却发不出声音来。就在这时，我突然想起了老伊基托的药水，连忙掏出瓶子喝了一口。

"两条小船同时抵岸。我昂首挺胸地走到安娜贝拉和弗格斯面前。她的眼神只在我身上停留了一瞬间，便转过头去看着弗格斯，神情充满自信。我知道自己发不出声音来，但也管不了那么多了。语言是我唯一的希望。我不能站在弗格斯身边，用自己的相貌来挑战他的英俊。我的喉咙和会厌软骨企图再次发出声音，用动听的话语来表达我的心声。

"令我异常惊奇和兴奋的是，美妙动听、清晰响亮、珠圆玉润的声音又从我的嗓子里源源不断地涌现出来，充满了力量和压抑已久的感情。

"'安娜贝拉小姐,'我说,'我可以和你单独谈一会儿吗?'

"你不想听我们谈话的细节,是吧?谢谢!雄辩的口才已经完好地回来了。我把她带到一棵椰子树下,像以前一样,用我的言语魅力打动她。

"'贾德森,'她说,'当你和我说话的时候,我什么都听不到,什么也都看不到了,对我来说,这个世界上所有的东西都不存在了。'

"哦,你看,这就是整个故事了。安娜贝拉随我乘汽艇回到了奥拉塔玛。我后来再也没有听到关于弗格斯的消息,也没有再见过他。安娜贝拉就是现在的贾德森·塔特夫人。我的故事没有让你感到厌烦吧?"

"没有。"我说,"我一向对心理研究很感兴趣。人心——尤其是女人的心——真是个奇妙的东西,让人捉摸不透。"

"是啊,"贾德森·塔特说,"人的气管和支气管也是这样,还有喉咙。你研究过支气管吗?"

"从来没有,很高兴听到你的故事。我可以问候塔特夫人吗?她现在身体好不好,在什么地方?"

"哦,当然。"贾德森·塔特说,"我们住在泽西城的伯根大街。塔特夫人不适应奥拉塔玛的天气。我猜你从来没有解剖过会厌软骨,对吗?"

"是啊,"我说,"我不是外科医生。"

"对不起,"贾德森·塔特说,"但是为了保护自己的健康,每个人都应该充分了解解剖学和治疗学的知识。突然着凉可能会引起支气管炎或者肺囊炎,并严重影响发声器官。"

"可能吧,"我有点不耐烦地说,"但是这跟我们刚才的谈话八竿子都打不着啊。要说女人感情奇怪的特征——

"是啊,是啊,"贾德森·塔特打断我的话说,"她们确实奇怪。不过,我现在要告诉你的是,回到奥拉塔玛以后,我向老曼纽尔·伊基托打听那瓶治疗我失声的混合物的成分。我已经跟你说过药效是多么神速了吧。他是从一种叫做楚楚拉的植物里提取出来的。给你看看!"说着,贾德森·塔特从口袋里掏出一个椭圆形的乳白色纸盒。

"对于任何咳嗽、感冒、声音嘶哑或者支气管炎,这是世界上最好的良药。"他说,"你看看盒子上印着的配方:每片内含两格令欧亚甘草,十分之一格令塔鲁香脂,二十分之一量滴大茴香油,六十分之一量滴焦油,六十分之一量滴草澄茄油树脂,十分之一量滴楚楚拉提取物。"

"我这次来纽约,"贾德森·塔特接着说,"是想组建一家公司,生产销售这种治疗喉咙疾病的最有效的良药。目前我正在小范围地销售。我这里有一盒,里面有四打药片,只卖五毛钱。如果你……"

我站起身走了,一句话也没有说。我独自溜达到了旅馆附近的一个小公园,留下贾德森·塔特在那里跟他的良心做伴。我内心觉得受到了伤害。他慢慢灌输给我的这个故事,我可能用得上。故事里有一丝生活的气息,还有一些虚构的经历,如果巧妙利用,还是可以登上大雅之堂的。谁料结果却被证明这只是一颗被商业化了的药丸,被一个虚构的故事像糖衣一样包裹着。最糟糕的是,我还不能够兜售这个,广告部和会计室的那些家伙会看不起我的,并且它的创作意图从来都不是为了文学。因此,我和其他失意的人一起坐在公园的长凳上,直到上下眼皮开始打架。

我回到自己的房间,按例看了一个小时我最喜欢的杂志上的故事。这是为了让我的思绪能再次回到我的艺术创作上。

每看一篇故事,我就伤心绝望地把它扔到地板上,一本接一本地扔。毫无例外,每一位作家都无法安抚我的心灵,他们的作品只是轻描淡写地讲着有关某种特殊牌子的汽车的故事,这似乎控制了他们天赋的火花塞。

当最后一本杂志被我扔出去的时候,我的精神开始振奋了。

"如果读者能忍受如此多的汽车兜售,"我自言自语道,"那么,他们应该也忍受得了塔特的奇效楚楚拉气管炎复方含片。"

如果你能看到这篇故事发表,你应该明白,商业就是商业,如果艺术把商业远远地抛在身后,商业一定会奋起直追的。

为了让那种药丸卖得更好,我想最好再加上一句,那就是:在药房里,你是买不到楚楚拉这种草药的。

汽车等待的时候

黄昏的时候,那个穿灰色衣服的姑娘又来到这个安静的小公园里。她坐在一张长椅上读书,至少还有半个小时余晖才会落尽,现在还能看清楚字迹。

重复一遍:她穿着灰色的衣裙,朴素平凡得足以掩盖式样和剪裁上的缺陷。一幅网眼很大的面纱罩住了她那顶无檐帽,也罩住了她恬静安详的美丽面容。昨天同一时间,她也来到了这里,还有前天,有个人注意到了这一点。

了解这一切的一个年轻人在附近徘徊,希望伟大的幸运之神能给他带来好运。他的虔诚果然得到了回报,姑娘在翻动书页时,书从她的手上滑落下来,刚好磕在长椅上,弹到了足足有一码远的地方。

年轻人迫不及待地朝这本书扑过去,带着公园里和公共场合盛行一时的神情——彬彬有礼地献殷勤,满怀希望,其中还掺杂着些许对巡警的敬畏,把书递还给它的主人。他用动听的声音,说了句关于天气的无关紧要的话——这个话题引发了世间多少不幸的开场白,然后直挺挺地站了一会儿,静静地等待自己命运的裁决。

姑娘从容不迫地打量了他一番,看了看他那普通平凡但也算是干净整洁的衣服,以及他那没有什么特殊表情的相貌。

"如果您愿意，可以坐下来。"她用故作深沉的嗓音说道，"真的，我希望您能坐一会儿。现在光线太暗了，没法看书。我更愿意聊聊天。"

幸运女神的这位仆人便顺从地在她身边坐下来。

"您知道吗，"他一开口就是公园负责人宣布开会时惯用的套话，"我很久没有见过您这么迷人的姑娘了，从昨天起，我的视线就离不开您了。您知道吗，有一个年轻人已经被您动人的眼神迷倒了。"

"不管您是什么人，"姑娘冷冰冰地说，"您最好明白，我是一位上等女人。我可以原谅您刚刚说过的话，因为，毫无疑问，这种错误在您的生活圈子里算不了什么。我请您坐下，假如这个邀请使您错误地认为我是您的什么'甜心'，那么，我收回我的邀请。"

"我诚心诚意请求您原谅。"年轻人恳求道，原先春风得意的神情一下子变成了忏悔和谦卑，"全都是我的不对。您知道，我是说，公园里有些姑娘，您知道，也就是，您当然不知道，可是……"

"好了，换一个话题吧。我当然知道。现在给我讲讲这几条马路上熙熙攘攘、行色匆匆的人们吧。他们要到哪里去？他们为什么如此匆忙？他们幸福吗？"

年轻人迅速收起了调戏挑逗的神情。他现在只能等待。他猜不出自己该扮演一个什么样的角色。

"观察他们的确很有趣，"他顺着她的口气回答，"生活就是一出绝妙的戏剧。有些人赶着去吃晚饭，有些人去，呃，去其他地方。真想知道他们都有哪些身世经历。"

"我不想，"姑娘回答，"我不那么好奇。我到这里坐坐，是因为在这儿，只有在这儿，我才能接近人类伟大的、搏动的、共通的心脏。我的生活地位使我永远无法感受到这种搏动。您能猜到我为什么会跟您说话吗？您是……"

"帕肯斯达克。"小伙子赶紧回答，同时流露出一种急切、期望的神情。

"不，我不能告诉您我的姓氏，"姑娘举起一根纤细的手指，莞尔一笑，说道，"一说出来您就会立刻认出我的。想要让自己的名字避开报纸杂志根本不可能，甚至连照片也是一样。这幅面纱，还有我的女仆的这顶帽子正好使我能掩盖自己的身份。您应该注意到了，我的司机正朝我看，他还以为我没发现他呢。坦白地说，就那么五六个姓氏属于显赫的名门望族，而我就生于其中一家。我之所以跟您谈话，帕达金珀特先生——"

"帕肯斯达克。"年轻人小心地更正道。

"帕肯斯达克先生，是因为我想和一个纯朴普通，没有被卑劣的财富和所谓的上流社会玷污的人交谈，哪怕一次也好。哎！您不知道我对周围的一切有多么厌烦，金钱！金钱！金钱！还有围绕在我身边的那些男人，装腔作势，就像小小的提线木偶，都是一个模子里刻出来的。我厌倦了寻欢作乐、珠宝、旅行、社交，以及各种各样的豪华奢侈。"

"我倒是一直有个想法，"年轻人支支吾吾地试探着说，"金钱绝对是个好东西。"

"有足够的金钱能生活得舒舒服服就行啦。可是，当一个人拥有数以百万计的金钱时……"她做了一个绝望的手势，就此结束了这句没有说完的话，"生活的单调和乏味会使人感到厌倦。"她接着说，"驾车兜风、出席宴会、剧院看戏，等等，一切都镀上了财富的奢靡色彩。有时候，香槟酒杯里冰块的丁当响声就几乎让我发疯。"

帕肯斯达克流露出真正感兴趣的样子。

"我一直就喜欢看书报上写的，"他说，"或者打听时髦而阔绰的人士的生活方式。我想我大概有点爱慕虚荣，不过，我喜欢了解准确的细节。哦，我一向认为香槟酒是连瓶冰镇的，而不是在酒杯里加冰块。"

姑娘听了，发出一阵悦耳的笑声。

"您应该知道，"她用一种宽容谅解的语调解释道，"我们这些上等阶级，就是靠着标新立异来打发时间。目前的时尚就是把冰块放在香槟里。这个主意最初是一位来访的鞑靼王子在沃尔多夫饭店用餐时想出来的。恐怕用不了多久，就会有其他心血来潮的念头取代它。正如这个星期麦迪逊大街举行的一次餐宴，每位来宾的盘子旁边都放了一只绿色的小山羊皮手套，以便吃橄榄的时候戴上。"

"我明白了，"年轻人谦虚地承认，"小圈子里这些特殊的娱乐方式，普通大众怎么能知道呢。"

"有时候，"姑娘微微欠身，表示接受了他的认错，接着说道，"我曾经想过，如果有一天我会谈恋爱，我可能会选择一个出身低微的男人。他是一个自食其力的劳动者，而不是个寄生虫。不过，毫无疑问，对等级和财富的追求会超越我选择的意愿。目前就有两个人在追求我。其中一位是日耳曼某个公国的大公。我猜他有或者曾经有过一个妻子，被他的放纵和残忍逼得发了疯。另一位是英国侯爵，此人极其冷漠、贪婪。相比之下，我情愿选择那个恶魔般的大公。我怎么会把这些事情都告诉您呢，派肯斯达克先生？"

"帕肯斯达克，"年轻人深深吸了一口气，纠正道，"说真的，您能对我如此真诚，使我深感荣幸。"

姑娘冷漠地注视着他，不带丝毫感情，这种神情倒也适合他们之间悬殊的地位。

"您是做什么工作的，帕肯斯达克先生？"她询问。

"一个非常卑微的工作。不过我希望有一天能在这个世界上出人头地。您刚才说您会爱上一个出身贫寒的人，您是认真的吗？"

"当然是认真的，不过我说的是'可能'。您知道，还有大公和侯爵呢。没错，只要那个男人符合我的心思，不管职业多么低微都没有关系。"

"我在一家餐馆里工作。"帕肯斯达克说。

姑娘微微一震。

"不是侍应生吧？"她问，语气中带着央求的味道，"劳动是高尚的，可是，伺候别人，您了解，仆人什么的……"

"我不是侍应生。我是收银员，就在——"他们正面对着的公园外有一条街，街上挂着一块灯光耀眼的招牌，上面写着"饭店"字样，"您看见那家餐馆了吗？我就在那里做收银员。"

姑娘看了看左腕上一只镶在款式华丽的手镯上的袖珍手表，急忙站了起来。她把书塞进一个挂在腰上的闪闪发光的手提袋里，但是，书太大了，袋子塞不下。

"您为什么没有上班呢？"她问道。

"我值夜班，"小伙子回答，"离我上班还有一个小时。我还能再见到您吗？"

"我不知道。也许吧，但我可能不会再这么心血来潮了。现在我得赶紧走啦。我还要赶去参加一个晚宴，之后要去剧场的一个包厢看戏，接着，噢！总是老一套。您来这里的时候也许注意到了，公园前面的拐角处停着一辆汽车，车身是白色的那辆。"

"红色车轮的那辆？"年轻人问道，若有所思地皱起了眉头。

"对，我就是坐那辆车来的。皮埃尔在车里等着我，他还以为我在广场对面的百货大楼买东西呢。想想看，这种生活过得多沉重，连自己的司机都不得不隐瞒。再见！"

"现在天已经黑了，"帕肯斯达克先生说，"公园里到处都是些粗鲁的男人。我可不可以送您一程？"

"假如您尊重我小小的意愿的话，"姑娘坚决地说，"我希望您等我离开后，在这张长椅上坐十分钟再走。我不是说您有什么恶意，不过也许您知道，汽车上一般都有主人姓氏的字母。好了，再见。"

她在暮色中迅速而优雅地离开了。年轻人注视着她那优美的身影，看着她走上公园旁边的人行道，然后转身向停着那辆汽车的拐角走去。这时，小伙子毫不犹豫地行动了，他借着公园里树丛的掩护，躲躲闪闪，快速行进，沿着与姑娘平行的路线，一路紧紧地跟着她。

她走到拐角处，转头看了看那辆汽车，随即经过汽车，朝街对面走去。年轻人躲在一辆停在路边的马车后面，密切关注着她的一举一动。姑娘沿着公园对面的人行道，走进了那家亮着耀眼灯光招牌的餐馆。这个地方由刺眼的白漆和玻璃装饰而成，里面一览无余，人们可以在那里吃到价格低廉的饭菜。姑娘穿过餐馆，走到里面一个隐蔽的角落，很快又走了出来，已经摘掉了她的帽子和面纱。

收银员的柜台在靠近店门的地方。一个红头发的姑娘一边从凳子上撤下来，一边不太乐意地瞟了一眼时钟。身穿灰色衣服的姑娘登上了她的位置。

年轻人把手往裤兜里一插，沿着人行道慢慢走了回去。在拐角的地方，他的脚踢到了一本平装的小书，他把它踢得滑到了草地边上。从绘着图画的封面上，他认出它就是那位姑娘刚刚阅读的书。他漫不经心地把书捡起来，看到书名是《新天方夜谭》，作者署名是史蒂文森。他把书重新扔回草地上，迟疑地犹豫了片刻。然后，他坐进那辆等待的汽车，舒服地往坐垫上一靠，简短地命令司机：

"俱乐部，亨利。"

公主与美洲狮

像这样的故事当然得有国王和王后。国王身上佩戴着六轮手枪,靴子上安着踢马刺,是个让人害怕的老头。他的嗓门很大,连草原上的响尾蛇听了都会吓得钻进树洞里面。在成为贵族之前,人们都叫他"耳语的本恩"。等到他拥有五万英亩土地和数不清的牛群时,人们就改叫他为"牛王"奥唐奈了。

王后是一个来自拉雷多的墨西哥人。她是一个地道的科罗拉多州主妇,温柔又善良,甚至能让本恩在家的时候说话声音小一些,这样才不会把家里的碗碟震碎。在本恩成为国王之前,她每天都坐在牧场正宅的回廊上编织草席。当从圣安东尼运来的软垫椅子和大圆桌也随着源源不断的财富跑到他们家的时候,她不得不低下她那油黑发亮的脑袋,开始经历和达纳厄[①]一样的命运。

其实在这个故事里,国王和王后并不出场,但是为了避免冒犯君主,我不得不先给你们介绍一下他们。这个故事的题目其实应该是这样的——"美丽的公主、幸福的向往和大煞风景的狮子"。

公主约瑟法·奥唐奈是这对国王夫妇唯一一个活下来的女儿。她遗传了母亲热情的性格和那种微黑而美丽的亚热带皮肤。她还遗传了父亲本恩·奥唐奈国王的胆识和领导能力,并从他身

[①] 达纳厄:希腊神话中的一个人物,阿戈斯国王的女儿,被囚禁在铜塔内。

上学到了很多生活常识。能见识一下这样一个吸纳了父母双方优良基因的人物,就算走再远的路也是值得的。当约瑟法骑马飞驰的时候,她能够对着一串挂在绳上摇摆的蕃茄罐头开枪,六发中至少可以命中五发。她会给她的小白猫穿上各种各样好笑的衣服,一连跟它玩上好几个小时。根本不用铅笔比划,她很快就能在脑子里给你算出,总共一千五百四十五头两岁的小牛,每头八块五十分钱,可以卖多少钱。粗略估算一下,多刺牧场约有四十英里长、三十英里宽——不过大部分土地是租来的。约瑟法骑着马,足迹踏遍了牧场的每一寸土地。牧场上的每一个牧童都见过她,甘愿做她忠心的奴仆。里普利·吉文斯是多刺牧场上一个牛队的头目,有一天看见这位公主时,便有了跟王室联姻的想法。

癞蛤蟆想吃天鹅肉吗?话也不能这么说。在那个年代,纽西斯一带的男人个个都是条汉子。不过归根结底,我们的这位牛王也不是什么正室血统。"牛王"这个称号通常只是表明,这个人在偷牛方面的技巧很高。

有一天,里普利·吉文斯骑马到双榆牧场打听有关一群走失的小牛的消息。由于回来时动身晚了些,当他到达纽西斯河的白马渡口时,太阳已经落山了。这里离他自己的营地有十六英里,到多刺牧场也还有十二英里。因此,吉文斯决定在渡口过夜,因为他觉得太累了。

河床上有个水坑,水很干净。两岸长满了茂密的大树和灌木。离水坑五十码处,有一片卷曲的牧豆草地——为他的坐骑提供了晚餐,为他准备了床铺。吉文斯拴好马,摊开鞍毯,让它晾晾干。他靠着树坐下来,卷了一支纸烟。这时,河边的密林里突然传来一声发威而震撼人心的吼叫。拴着的小马腾跃起来,害怕地喷着鼻息。吉文斯抽着烟,不慌不忙地伸手去拿放在草地上的枪套皮带,拔出枪,转了转弹膛。一条大纲鱼扑通一声窜进水坑。一只棕色的小兔子绕过一丛猫爪草，坐下来，胡子牵动着，滑稽地看着吉文斯。小马继续吃草。

　　黄昏时分，当一头墨西哥狮子在干涸的河道旁边唱起女高音的时候，小心谨慎总是没错的。它唱的内容可能是：小牛和肥羊不好找，只吃荤食的它很想和你交交手。

　　草丛里有一只空水果罐头，是以前的过路人扔在那儿的。吉文斯看到它后，高兴地哼了一声。他缚在马鞍后面的上衣口袋里，有一些碾碎的咖啡豆。清咖啡和纸烟！有了这两样东西，牧牛人就心满意足了。

　　不到两分钟，他便生起了一小堆明快的火。他拿着罐头朝水坑走去。在离水坑十五码时，他从灌木枝叶的空隙中看到左边不远处有一匹备女鞍的小马，耷拉着僵绳在啃草。约瑟法·奥唐奈趴在水坑旁边喝完水，站了起来，正在擦去掌心的泥沙。吉文斯还看到在她右边十来码远的荆棘丛中，一头墨西哥狮子正蹲在那里。它那硫磺色的眼睛发出饥饿的光芒，眼睛后面六英尺的地方是伸得笔直的尾巴，就像猎狗猛扑前那样。它像猫科动物跳跃前那样挪动后腿。

　　吉文斯做了他力所能及的事。他的六响手枪在三十五码以外的草地上。于是，他暴喝一声，窜到狮子和公主中间。

　　吉文斯事后所说的这场"格斗"是短暂而混乱的。当他冲过去时，他看见空中掠过一道模糊的影子，又隐约听到两声枪响。紧接着，百来磅重的墨西哥狮子落到了他的头上，重重地把他压倒在地。他还记得自己喊道："让我起来——这种打法不公道！"接着，他像毛毛虫似的从狮子身下爬出来，嘴里满是青草和污泥，后脑勺撞在水榆树根上，鼓起了一个大包。狮子一动不动地瘫在地上。吉文斯十分生气，并且觉得受了骗。他对着狮子晃了晃拳头，嚷道："我跟你再来二十回合——"但他马上醒悟过来了。

约瑟法站在原处，正悠闲地重新填装她那把三八口径手枪。射击并不困难。和悬在绳子上的蕃茄罐头相比，狮子的脑袋要大多了。她的嘴角和黑眼睛里带着一丝挑逗、讽刺和令人恼火的笑意。这位救人未遂的勇士觉得丢人的火焰一直烧到了他的灵魂深处。这本来是他表现的大好机会，一个千载难逢的机会。然而迎接他的不是爱神丘比特，而是嘲弄之神摩摩斯。显然，森林里的精灵们都在捂着肚子暗暗窃笑。这几乎成了一场闹剧——吉文斯先生和剥制狮子一起演出的滑稽戏。

"是你吗，吉文斯先生？"约瑟法的声调徐缓低沉，像糖精一般甜，"你那声叫喊差点让我没打中。你摔倒时有没有碰伤头？"

"哦，没什么，"吉文斯平静地说，"摔得不重。"他充满耻辱地弯下腰，从狮子身下把他那顶最好的斯特森帽子抽出来。帽子被压得一团糟，很有喜剧效果。随后，他跪下来，轻柔地抚摸着死狮子张着大嘴的令人害怕的脑袋。

"可怜的老比尔！"他悲凄地哭喊道。

"怎么了？"约瑟法迅速问道。

"你是不会明白的，约瑟法小姐。"吉文斯说，神情哀伤，但还是没有原谅的意思，"没人能怪你，我想救它的，可是来不及告诉你。"

"救谁呀？"

"老比尔呀。我已经找了它一整天了。你知道吗，它是我们营地养了两年的宠物。可怜的老家伙，它连一只白尾灰兔都没有伤害过。营地里的兄弟们要是知道它死了，一定会很伤心的。当然，大家不会怪你的，你也不知道比尔是在逗你玩。"

约瑟法的黑眼睛目不转睛地看着他，里普利·吉文斯知道自己的谎言成功了。他若有所思地站在那里，揉了揉黄褐色的头发，眼神里满是悔恨，还夹杂着一丝温和的责备。他那光洁的脸上挂着一副毋庸置疑的悲伤。约瑟法被他的表情弄得有点犹豫，不知道该不该相信他的话。

"那你们的宠物跑到这里来干什么啊？"她借助最后一点底气，不服输地问道，"白马渡口附近又没有营地。"

"这个老家伙昨天从营地里逃了出来。"吉文斯不假思索地回答道，"真奇怪，丛林狼竟然没有把它吓坏。我们营地里的吉姆·韦伯斯特，你知道的，是给我们管马的人，上星期给我们营地带来了一只小猎狗。这个小家伙害惨了比尔——它一连好几个小时地跟在比尔后面，咬它的后腿。每天晚上睡觉的时候，为了躲开它，比尔总是偷偷钻到大家的毯子下面睡觉。我估计它一定是迫不得已，或者说走投无路了才会想着逃跑的。不然它是不会这么做的，它一离开营地就会害怕。"

约瑟法看了看那头猛兽的尸体。吉文斯轻轻地拍着它那可怕的爪子，这爪子一脚下去就可能拍死一头周岁的小牛。一片红晕慢慢在那姑娘深橄榄色的脸上扩散开来。这是一个真正的猎人因为错打死了一只猎物而感到羞愧的表情吗？她的眼光开始变得柔和起来，低垂的眼睑赶走了先前所有的嘲弄。

"对不起，"她谦逊地说，"它看起来那么大，跳得又那么高，所以……"

"可怜的老比尔肚子饿啦，"吉文斯打断公主的话，立即替死去的狮子辩解道，"在营地里，我们总是叫它跳起来才给它吃的。它曾经还为了一块肉在地上打过滚呢。它看到你时，希望你能给它点吃的，所以才跳那么高。"

突然，约瑟法的眼睛睁得大大的。

"我以为我打中你了，"她大声说，"你刚好在中间。为了救你的宠物，你甚至不惜自己的生命。吉文斯先生，你真是一个好人。我喜欢善待动物的人。"

现在，她的眼神里甚至出现了钦佩之情。不管怎样，一个英雄从一败涂地的废墟中诞生了。吉文斯脸上的神情可以替他在

"防止虐待动物协会"里谋一个很高的职务了。

"我一向喜欢动物,"他说,"马呀,狗呀,墨西哥狮子呀,牛呀,鳄鱼呀——"

"我讨厌鳄鱼,"约瑟法马上反对道,"拖泥带水的,叫人看了起鸡皮疙瘩的东西!"

"我说过鳄鱼吗?"吉文斯说,"我想说的准是羚羊。"

约瑟法的良心促使她再想出一些补救的办法。她忏悔似的伸出了手,两只眼睛里含着晶莹的泪珠。

"请原谅我,吉文斯先生,好吗?你知道,我只不过是个小姑娘,一开头我很害怕。打死了比尔,我感到非常难过。你不了解我觉得多么难为情。要是早知道的话,我是绝不会开枪的。"

吉文斯握住她伸出来的手。他握了一会儿,用他的宽恕去克服因比尔的死带来的悲伤。最后,他显然原谅了约瑟法。

"别再提这件事啦。约瑟法小姐。任何一位年轻的小姐见了比尔都会感到害怕的。我会向弟兄们好好解释的。"

"你真的不恨我吗?"约瑟法冲动地挨近他,她的眼神很甜蜜——啊,甜蜜和恳求之中带着优雅的忏悔的神情,"要是有人杀了我的小猫,我也会恨死他的。你冒着中流弹的危险去救它,是多么勇敢,多么仁慈啊!这样的人实在是太少见了!"

转败为胜!闹剧变成了正剧!太棒了,里普利·吉文斯!

现在天色已经黑了。当然不能让约瑟法小姐独自骑马回家。尽管吉文斯的坐骑不大情愿,他还是重新上鞍,陪她一起回去。公主和爱护动物的人——他们并肩穿过柔软的草地。草原上散布着丰饶的泥土气息和美妙的花香。远处的小山上丛林狼在嚎叫!没有什么可怕的。可是——

约瑟法策马靠拢过来。一只小手仿佛在摸索。吉文斯马上握住了它。两匹小马并排走着。两只手紧握不放,其中一只手的主人说:

"我从来没有害怕过，可你想想看！如果碰上一头真正的野狮子，那可怎么办！可怜的比尔！有你在真让我高兴！"

奥唐奈坐在房屋的回廊上。

"喂，里普利！"他喊道——"是你吗？"

"他陪我回来。"约瑟法说，"我迷了路，耽误了时间。"

"谢谢你。"牛皇帝喊道，"在这里过夜吧，里普利，明天早晨再回营地。"

但是吉文斯不肯。他要赶回营地去。明天一大早有批阄牛要上路。他道了晚安，策马走了。

一个小时后，熄了灯，约瑟法穿着睡衣，走到她的卧室门口，隔着砖铺的过道，对屋里的牛皇帝说：

"喂，爸爸，你知道那头叫做'缺耳魔鬼'的墨西哥老狮子吗？——就是害死马丁先生的牧羊人冈萨勒斯，在萨拉达牧场扑杀了五十来头小牛的那头。嘿，今天下午我在白马渡口把它打死了。它正要跳起来，我便用三八口径朝它脑袋开了两枪。它的左耳朵被老冈萨勒斯用砍刀削掉了一片，所以我一看到就认出它来了。你也不见得能打这么准，爸爸。"

"你太棒了！""耳语的本恩"在熄了灯的寝宫里打雷似的说道。

人生的波澜

治安官贝纳加·威德普坐在办公室门口,抽着他那根接骨木烟斗。高耸的坎伯兰山脉,在午后的雾霭中呈现出一片灰蒙蒙的蓝色。一只花斑母鸡大摇大摆地走在"居留地"大街上,"咯咯咯"地叫个不停。

路上响起了车轴转动的吱呀声,飞起了许多灰尘,接着就来了一辆牛车,上面坐着兰西·比尔布罗和他的妻子。他们在治安官的办公室门前停下来,两人一起从车子里出来。兰西身高六英尺,身材消瘦高挑,皮肤是浓褐色的,头发是金黄色。他的妻子身上穿着碎花衣服,身形瘦小,头发隆起,神情中有着些莫名的烦恼,透过这些,流露出一种虚度了青春的淡淡的哀怨。

治安官赶紧把脚伸到鞋子里面,以在外人面前保留些威严。然后站起身请他们进门。

"我们要离婚。"女人的声音就像是北风吹过松林一般。她望了一眼兰西,看他会不会否认她的陈述是错误、含糊、回避、不公的,或者有偏袒自己的地方。

"离婚,"兰西严肃地点点头,重申道,"我们俩怎么也过不到一起。即使夫妻和和美美,住在山里也够寂寞的了。何况她在家里不是像野猫一样乱嚎乱叫,就是像猫头鹰一样阴沉着脸,男人凭什么要和她一起过日子。"

"胡扯！他自己不过就是个没出息的窝囊废，"女人说，并不很激动，"整天和那些无赖酒鬼鬼混，喝了玉米酒回来就开始睡觉，还养了群恶狗让我喂。"

"她动不动就把锅盖给摔了，"兰西反驳道，"把滚烫的水泼到浣熊狗身上，那么好的猎狗，坎伯兰山里没有第二条；她还不肯给男人做饭吃，半夜三更仍骂骂咧咧地唠叨个没完，闹得人整夜睡不着觉！"

"他总是不交税，在山里名声坏得不行，跟这样的人生活在一起谁晚上能睡着觉？"

治安官开始慢慢地执行公务了，他把仅有的一把椅子和一个木凳并列摆好，让他们坐好，然后把桌子上的法条全书打开，开始认真地检查索引。过了一会儿，他擦了擦眼镜，挪动了下墨水瓶，说："就本法庭的权限而言，我们这里的法律里并没有管辖离婚的问题。但是，根据平等原则，根据宪法、《圣经》，你们来了我就要为你们解决问题。既然治安官有权批准婚姻，显而易见，他也有权替人办理离婚事宜。本庭可以发放离婚证书，并遵守最高法院的决定，认可它的效力。"

兰西·比尔布罗从裤袋里掏出一个放烟叶的小布袋。他从袋子里摸出一张五元的钞票放在桌子上，说："这是我卖了一张熊皮和两张狐皮换来的，我们就这些钱了。"

"我办理一桩离婚案的费用，"治安官说，"就是五元钱。"他装出一副毫不在意的样子，把那张钞票塞进粗呢坎肩的口袋里。然后，经过一番考虑，花了很长时间，他才把证书写在半张大纸上，然后在另外半张上照抄了一遍。兰西·比尔布罗和他妻子静听他宣读了那份将给他们带来自由的文件：

根据法律条文，现公之于众：兰西·比尔布罗与其妻子阿里艾拉·比尔布罗今日亲自来到本法官面前议定，两人自即日起恩断义绝，不论今后身处何境。订立协议之时，当事人神志清醒，身心健全。按照本州治安和法律的尊严，特发此离婚证书为凭。上帝作证，今后互不相涉，永不反悔。

田纳西州，比德蒙特县
治安官贝纳加·威德普

法官正要把一份证书递给兰西，突然被阿里艾拉的声音制止住了。两个男人一起望着她。他们男性的迟钝遭遇了女人突如其来的节外生枝。

"法官，先别把证书给他，事情还没完呢。我得先要求我的权利，我要我的赡养费。做丈夫的把妻子甩了，一分钱生活费都不给，哪有这样的事情。我打算到霍格巴克山我的哥哥埃德家去，总得买双鞋子，还有鼻烟和别的什么东西。兰西既然有钱付离婚费，就得给我赡养费。"

兰西·比尔布罗听得目瞪口呆。他以前从未听她提起过什么赡养费。女人总是要无中生有，提出令人意想不到的问题来。

治安官贝纳加·威德普认为这个问题需要依法裁决。法令全书上没有关于赡养费的明文规定。再说，这个女人确实没有穿鞋，前往霍格巴克山的道路不但陡峭，而且满是石子。

"阿里艾拉·比尔布罗，"治安官打着官腔问道，"在本案中，你认为判给你多少赡养费才合适呢？"

"我认为，"她回答说，"要买鞋子还有别的东西，五块钱应该够了。作为赡养费，这可不算多。但我觉得，能够让我到达埃德哥哥家就行了。"

"数目还算合理，"治安官说，"兰西·比尔布罗，在离婚判决书签发之前，本庭判决你付给原告五块钱。"

"我再也拿不出钱了，"兰西心情沉重地说，"我把所有钱都

付给你了。"

"你要是不给,"治安官从他的眼镜上方严肃地看着他说,"就是藐视法庭。"

"我想,如果能宽限到明天,"这位丈夫恳求说,"我或许能想办法凑出这笔钱。我没想到还要给什么赡养费。"

"本案暂时休庭,明天继续审理。"贝纳加·威德普说,"你们两人明天都要出庭听候宣判,然后才能签发离婚判决书。"他坐在门口,开始解鞋带。

"我们去山下的齐亚大叔家,"兰西拿定了主意,"只能在那儿过夜了。"他爬上牛车,阿里艾拉从另一边爬了上去。缰绳一抖,那头小红牛慢吞吞地转了方向,牛车在车轮扬起的滚滚灰尘中渐渐远去。

治安官贝纳加·威德普又抽起了他那根接骨木烟斗。傍晚时分,他收到了订阅的周报。他开始看报,一直看到字迹在暮色中逐渐模糊。然后,他点燃了桌上的牛油蜡烛,又一直看到月亮升起,到了该吃晚饭的时候了。他住在山坡上一棵剥皮白杨附近一所双开间的木屋里,回家吃晚饭要穿过一条被密密麻麻的月桂树遮掩的小岔道。他正在这条小岔道上走着,突然,一个黑影从月桂树丛中蹿了出来,用来复枪指着治安官的胸膛。那个人帽子拉得很低,脸上也被什么东西遮住了一大半。

"把钱拿来,"来人说,"少废话!我神经紧张,手指在扳机上哆嗦着呢。"

"我只有五……五……五块钱。"治安官一边说,一边把钱从坎肩里掏了出来。

"把钱卷起来,塞进枪管里。"对方命令道。

这是一张又新又脆的钞票。治安官的手指虽然有些颤抖,不大灵活,但把它卷成小筒并不困难,只是塞进枪口时不大顺利。

"你可以走了。"黑影说。

治安官不敢逗留，立马跑开了。

第二天，那头小红牛又拖着车子来到办公室门口。治安官贝纳加·威德普知道有人要来，早就穿好了鞋子。兰西·比尔布罗当着他的面，把一张五元钞票交给他的妻子。治安官直勾勾地盯着那张钞票。它有些卷曲，好像曾被塞进枪管里。但是，治安官忍住没有出声，别的钞票也很可能被卷曲过。他把离婚判决书分发给两人。他们尴尬地站在那儿，一声不吭，慢吞吞地折叠好各自的自由保障书。女人竭力抑制着感情，羞怯地瞥了兰西一眼。

"我想你要赶着车回家去了吧，"她说，"面包放在木架上的铁皮盒子里。我把咸肉藏在烧开水的锅里了，免得被狗偷吃。晚上别忘了给钟上发条。"

"你要去你哥哥埃德家吗？"兰西似乎是漫不经心地问道。

"我要在天黑之前赶到那儿。他们不可能多热情地招待我，但是我实在没别的地方可以去了。路很远，我还是趁早出发吧。那，我们就再见吧，兰西——要是你还愿意说声再见的话。"

"如果有人连再见都不愿意说，那他简直就是畜生了，"兰西的声音里带着一点委屈，"除非你着急上路，不愿意听我说。"

阿里艾拉沉默了。她把那张五块钱的钞票和离婚判决书小心地折好，放进怀里。贝纳加·威德普透过眼镜看见那五块钱到了别人的怀里，不禁感到一阵心酸。

此刻，他想说的话只有两种，一种可以说明他是这个世界上极富同情心的一个人，另一种则可以让他与金融巨头相提并论。

"今晚老房子一定会很寂寞，兰西。"她说。

兰西·比尔布罗遥望着坎伯兰山脉，在阳光下，山脉呈现出一片蔚蓝。他没有看阿里艾拉。

"我知道会寂寞的，"他说，"但是有人那么生气，非得要离婚，我怎么能把她留下呢。"

"也不是一个人想要离婚啊,"阿里艾拉对着木凳子说,"再说了也没人让我留下。"

"可也没说不留啊。"

"可也没有人说过要留呀。我想我现在还是动身到埃德哥哥家去吧。"

"没人会给那只旧钟上弦。"

"要不要我搭车跟你一起回去,给钟上弦,兰西?"

那个山民的脸上一点激动的表情都没有,不过他伸出一只大手,抓住了阿里艾拉又黑又瘦的小手。她内心的喜悦无从掩饰,原本昏暗的脸上现在也有了光辉。

"那些狗再也不会惹你生气了,"兰西说,"我觉得我以前真是太没出息了,一点也不知道上进。家里那只钟还是由你去上弦吧,阿里艾拉。"

"我的心一直留在那座木屋里,兰西,"她悄声说,"一直跟你在一起。我再也不发火了。我们走吧,兰西,太阳落山以前我们可以赶到家里。"

治安官贝纳加·威德普见他们忘记了自己的存在,竟自顾自地向门口走去,赶紧提出异议。

"我以田纳西州政府的名义,"他说,"严禁你们两人做出藐视本州法律和法令的事情来。本庭看到两个相亲相爱的人拨开了误会与不和谐的云雾,重归于好,不但非常满意,而且十分高兴。但是,维护本州的道德和治安是本庭的职责。本庭提醒你们,你们已经不再是夫妻了,你们已经经过正式的判决离了婚。在这种情况下,你们不再享有夫妻关系下的一切权益。"

阿里艾拉连忙抓住兰西的胳膊。这些话的意思难道是,他们刚刚接受了生活的教训,她就又要失去他吗?

"不过,"治安官接着说,"本庭可以解除离婚判决所造成的障碍。本庭现在就可以举行隆重的结婚典礼,争端圆满解决,双方原本高贵的婚姻关系也会恢复。执行这些仪式的手续费，就本案而论，一切包括在内是五块钱。"

阿里艾拉从他的话里又听到了一线希望，她把手飞快地伸进怀里。那张钞票像着陆的鸽子一般，轻盈地飘落到治安官的桌子上。她和兰西手牵手站着，倾听着使他们重新结合的话语，她那蜡黄的脸颊上又泛起了红晕。

兰西扶她上了车，然后自己也爬了上去，坐在她身旁。那头小红牛再次掉转方向。于是，他们手牵着手，朝山里驶去了。

治安官贝纳加·威德普在门口坐下来，脱掉鞋子。他又一次伸手摸了摸坎肩口袋里的钞票，再次抽起他的接骨木烟斗。那只花斑母鸡仍然大摇大摆地走在"居留地"大街上，"咯咯咯"地叫个不停。

寻宝记

世界上的傻瓜多种多样。好了,大家能不能先安静坐定了,叫到谁的名字谁再站起来?

我自己就当过各种傻瓜,但有一种除外。我挥霍了祖传的家产,妄想结婚,我打扑克,玩草地网球,做过投机买卖,于是很快就和我的钱财分道扬镳了。但是,有一种头戴系铃帽、遭人嘲笑的角色我还没有扮演过,那就是寻觅宝藏的财迷。只有极少数人才会染上这种愉快的狂热病,但是在所有迈达斯国王①的追随者中间,寻觅宝藏才最富于美妙的憧憬。

不过,我还是要说几句题外话——拙劣的作者通常都是如此——我是个多情的傻瓜。当我见到梅·玛莎·曼格姆后,心就完全属于她了。她十八岁,肤色像钢琴的象牙琴键一样白皙,容貌秀丽,楚楚动人,仿佛一位单纯的天使被贬降人间,注定要生活在得克萨斯草原上的沉闷小镇里。她身上有一种奇妙的庄重和动人的魅力,凭她的美貌和气质,她完全可以像摘木莓那样,轻易摘下比利时或者任何其他花哨王国皇冠上的红宝石。不过,她自己并不知道这一点,我也没有告诉她。

你知道,我想要赢得并拥有梅·玛莎·曼格姆。我要她和我

---

① 迈达斯国王:希腊神话中佛律癸亚的国王,能点石成金。

终生相伴，每天把我的拖鞋和烟斗放到我晚上找不到的地方。

梅·玛莎的父亲蓄着大胡子，戴着眼镜，胡子和眼镜几乎把他的整个脸都遮住了。他活着就是为了昆虫，为了蝴蝶，为了天上飞的、地上爬的、钻进你脖子里或者落到黄油上的虫子。他是位昆虫学家，或者诸如此类的家伙。他这辈子都在外面用纱网捕捉甲虫科的飞虫，然后用大头针把它们钉住，给它们起名字。

他们全家只有他和玛莎两个人。玛莎负责照顾他，让他能吃上饭，衣服不至于穿反，并让他保存标本的玻璃瓶里的酒精经常满着。因此，他也异常珍视玛莎，把她看做是最后的精美的人类样本。据说，科学家都是心不在焉的。

除了我之外，还有一个人也对梅·玛莎·曼格姆心存不轨。他叫古德罗·班克斯，一个刚刚从大学回到家来的年轻人。他具备书本上能得到的所有知识：拉丁文、希腊文、哲学，尤其是高等数学和逻辑学。

如果不是因为他总喜欢在人前卖弄自己的知识和学问，我本来会很喜欢他的。但即便如此，你也可以认为，我们仍然是好朋友。

我们一有空就凑在一起，因为都想从对方嘴里捞些稻草，打探出梅·玛莎·曼格姆内心的动向——这种比喻太不准确了。古德罗·班克斯才不会犯这种错误呢。情敌之间都是如此。

你也许会说古德罗更注重书籍、礼貌、文化、智慧，还有衣着。而我则会使你想起垒球和周五晚上的辩论会——这些对我来说就算文化了——也许还会想到一个骑马高手。

但是，不管是在我和他的闲聊中，还是在我们去拜访梅·玛莎和她聊天时，古德罗·班克斯和我都看不出她到底更喜欢我们中的哪一个。梅·玛莎生性如此，从不爱明确表态，当她还躺在摇篮里的时候，就懂得让人们去揣摩她的心思了。

我已经说过，曼格姆老头总是心不在焉。很久之后的一天，他发现——准是一只小蝴蝶告诉他的——有两个年轻人正想网走那个照料他安逸生活的年轻姑娘，他的女儿，或者是诸如此类的法律上的附属物。

我此前从未料到科学家居然也能对这种局面应付自如。老曼格姆在口头上把我和古德罗归了类，轻巧地把我们定位在脊椎动物中最低级的纲目，而且是用英语说的，没有用深奥的拉丁文，除了一句"奥格托里斯，赫尔维蒂之王"——我也只懂得这么一句拉丁文。他还告诉我们，要是下次我们再在他家附近转悠，被他逮住，他就要把我们加进他收集的标本里。

古德罗·班克斯和我躲避了五天，想等风声平息下来。等我们壮起胆子再次登门拜访的时候，梅·玛莎·曼格姆和她父亲已经不见了。离开了！他们租住的房子大门紧锁，他们仅有的财物也都被搬走了。

梅·玛莎没有给我们中的任何一个人留下只言片语，也没有在山楂树上钉上一张飘动的白色纸条，或用粉笔在门柱上画个记号，更没有在邮局里留一张明信片，给我们一些提示。

整整两个月，古德罗和我想尽一切办法，分头去追踪这两个逃亡者。我们和火车站的售票员、出租马车行的职员、火车上的乘务员，以及镇上唯一一位警察套近乎，拉关系，但都一无所获。

后来，我和古德罗便成了比任何时候都更亲密无间的朋友和更势不两立的仇人。每天下午干完活，我们都在斯奈德酒馆后面的房间里聚会，玩玩骨牌，有时也聊聊天，但话中有话，总想从对方嘴里套出些新的发现。情敌之间都是如此。

古德罗·班克斯总是用一种嘲弄的方式卖弄自己的学问，把我列为那类只配念"简·瑞真可怜，她的小鸟死了，没有什么东西可玩了"的人。不过，我还是挺喜欢古德罗的，我只是看不起他那些从大学里学来的学问，况且人们都认为我与人为善，所以我就忍住了火气。而且，我还想打探他到底有没有梅·玛莎的消息，这才耐着性子继续与他来往。

有一天下午，我们聊天时，他对我说："埃德，就算你找到了她，你又能有什么指望呢？曼格姆小姐很有头脑。也许她单纯淳朴，但她注定要享受比你能给予她的更高级的生活。我所交谈过的人中，没有人比她更能欣赏古代诗人、作家的作品，以及那些吸收并发展了古人生活哲学的近代文人的魅力。你不觉得寻找她是在白白浪费你自己的时间吗？"

"我所认为的幸福家庭，"我说，"就是在得克萨斯草原上有一幢有八个房间的房子，四周橡树葱茏，傍依一泓池水。客厅里，"我接着说，"放着一架带自动弹奏器的钢琴，牧场上的栅栏里养着三千头牛。但这只是一个开始，一辆四轮马车和拴在柱子上的小马，随时听从'太太'——也就是梅·玛莎·曼格姆——使唤，她可以随心所欲地花掉牧场赚来的钱。她将与我终生相伴，每天把我的拖鞋和烟斗放到我晚上找不到的地方。幸福的家庭，"我说，"将会是这个样子，你那些课程啊，崇拜啊，哲学啊之类的东西，连一枚无花果——连干瘪的、士麦拿地摊上卖的无花果都不如。"

"她应该享受更为高级的生活。"古德罗·班克斯坚持道。

"不管她应该享受什么，"我回道，"现在的问题是她消失了。而我要尽快找到她，这用不着什么大学的东西帮忙。"

"这副牌没法玩了。"古德罗扔下一张骨牌说，然后我们喝起了啤酒。

没过多久，我认识的一个年轻农民来到镇上，给我带来了一张折好的蓝纸。他说他的爷爷刚刚去世。我强忍住眼泪，他接着说老人家珍藏了这张图纸二十年，把它作为遗产的一部分传给家人，剩下的遗产是两头毛驴和一块不能种庄稼的土地。

纸上标的日期是一八六三年六月十四日，那种蓝色的纸是废奴主义者和分裂主义者在战争期间使用的。上面记录的是价值三十万美元的十驮金币和银币的埋藏地点。老朗德尔——也就是山姆的祖父——从一个西班牙传教士那里得知了这个消息，那位传教士参与了宝藏的埋藏，许多年以前——不，许多年以后——他在老朗德尔家中去世。老朗德尔根据传教士的口授记录了下来。

"你父亲为什么不去找这笔宝藏呢？"我问小朗德尔。

"他还没来得及去，眼睛就瞎了。"他回答。

"那你自己为什么不去找呢？"我又问。

"哎，"他说，"我是十年前才知道有这张图纸的。春天我忙着犁地，接着要在玉米地里锄草，然后就要为牲口准备饲料，很快冬天就来临了，就这么一年又一年地过来了。"

我觉得他的话很有道理，当场就决定和小李·朗德尔合作寻宝。

图纸上的说明非常简略。驮着宝藏的骡队从多洛雷斯县一个古老的西班牙传教基地出发，按照指南针所指的方向，向正南行进，一直到达阿拉米托河。他们涉水过河，把宝藏埋在两座大山中间一座马鞍形的小山顶上。藏宝地点有一堆乱石作为标记。几天后，参与埋藏宝藏的人都被印第安人杀死了，只有那个西班牙传教士幸免于难，因此，这成了独家秘密。在我看来，这样再好不过了。

李·朗德尔提议再添置一套野营装备，雇一个勘测员测量出西班牙传教基地到藏宝地点的路线，等那三十万美元的金币和银币一到手，我们就到沃思堡去游山玩水。尽管没有受过太多教育，我倒是想到了一个节省时间、减少开销的办法。

我们来到州土地局，请他们根据老传教基地到阿拉米托河一带的全部测量图，绘制一幅所谓的实用简图。我在图上对着南方画了一条通向河岸的直线。实用简图上准确标明了每条测量路线的长度和所处地区。凭借这些资料，我们在河岸上找到了一个点，把它与洛斯安尼莫斯五里格测量图上一个重要的、标志明确的地区连接了起来——这片土地是西班牙国王菲利普的授地。

这么一来，我们就没有必要雇勘测员来全线勘测了，省下了不少开支和时间。

李·朗德尔和我套好一辆两匹马拉的大车，装上所有的必需物品，赶了一百四十九英里，来到离我们要去的地点最近的市镇——奇科镇。我们找到镇上勘测局的代理人，请他为我们找到了洛斯安尼莫斯测量图上的地区，又按照我们实用简图上的要求向西走了五千七百二十巴拉的路程，并在找到的地方搁上一块石头。接着，他喝了咖啡，吃过咸肉，便搭上邮车返回奇科镇。

我相信我们准能找到那三十万美元。李·朗德尔只能分到三分之一，因为寻宝的所有费用都是由我承担的。有了这二十万，只要梅·玛莎·曼格姆还活在这个世界上，我便一定能找到她。有了这笔钱，我还能使曼格姆老头的蝴蝶在鸽笼里扑腾。要是我能找到这笔宝藏该有多好啊！

李·朗德尔和我扎起了帐篷。河对岸有十来座松柏郁郁葱葱的小山，但是没有一座是马鞍形的。不过我们并没有灰心。事物的外表都具有欺骗性，正所谓情人眼里出西施，马鞍也是如此。

我们仔细查看了那些松柏覆盖的小山，就像太太们找捣乱的跳蚤那样细心。我们沿着河岸，在两英里的范围内，研究了每一座山的山坡、山顶、周缘、平均海拔、角度、坡度和凹陷处，忙活了整整四天。然后，我们套好那匹杂色马和那匹暗褐色马，把剩下的咖啡和咸肉拉到一百四十九英里之外的康卓镇。

回去的路上，李·朗德尔嚼了许多烟草。我因为着急要回去，忙着赶车。

空手而归后，我很快就在斯奈德酒馆后面的房间碰到了古德罗·班克斯。我们一边玩骨牌，一边相互探听消息。我把寻找宝藏的经过告诉了古德罗。

"我要是能找到那三十万美元的宝藏，"我对他说，"就可以走遍全世界，找到梅·玛莎·曼格姆啦。"

"她应该享受更为高级的生活。"古德罗说，"我自己会去找她的。不过你给我讲讲，你是怎么找到那笔尚未出土的宝藏被轻率埋藏的地点的呢？"

于是，我把事情的来龙去脉详细地告诉他，还给他看了制图员绘制的实用简图，上面各地间的距离都标得清清楚楚。

他大大咧咧地瞥了一眼图纸，然后往椅子上一靠，对我发出了一阵大学式的大笑，带着讽刺意味，充满了优越感。

"嗨，吉姆，你真是个傻瓜。"他渐渐止住了笑，对我说。

"该你下注啦。"我捏住手里的两边都是六点的牌，耐心地说。

"二十。"古德罗说罢，用粉笔在桌子上画了两个叉。

"我为什么是傻瓜？"我问道，"以前不是有很多地方都找到过埋藏的宝藏嘛。"

"因为，"他说，"你在计算那条线路与河岸的相交点时，没有考虑到磁差。那里的磁差应该是偏西九度。把你的铅笔给我。"

古德罗·班克斯立刻在一个旧信封背面上计算起来。

他说："从西班牙传教基地自北往南的那条线路的距离正好是二十二英里。按照你的说法，这条线是按袖珍指南针画定的。把磁差的因素考虑进去，你应该寻找宝藏的地点是在阿拉米托河岸上离你实际到达的地点往西六英里九百四十五巴拉。哎，吉姆，你真傻！"

"你说的磁差是什么东西？"我问道，"我认为数字才是最可信的。"

"磁差是磁针与真正的子午线之间的偏差。"古德罗说。

他不可一世地笑了笑，脸上露出了寻觅宝藏的人所特有的迫不及待、贪心不已的神情。

"有时候,"他带着预言者的派头说,"这些古老的有关埋藏宝藏的传说也并非无稽之谈。你把那张记述藏宝地点的文件给我看看,说不定我们可以一起……"

就这样,古德罗·班克斯和我这对情场上的敌人变成了探险的伙伴。我们从离铁路线最近的小城亨特斯堡搭驿车来到奇科镇。到达奇科镇后,我们雇了一辆装有弹簧和车篷的马车来拉运我们的野营装备。我们仍然请了上次的那位勘测员,按照古德罗根据磁差修正的距离重新测定了路线,然后打发他上路回家。

天黑以后,我们才到达目的地。我喂了马,在离河岸不远的地方生起火,做了晚饭。古德罗本来可以帮忙的,但是他的大学教育使他不能胜任这些实际工作。

不过,我干活的时候,他用古代死人留传下来的伟大思想逗我开心。他大段大段地引用从希腊文翻译过来的作品。

"阿那克里翁,"他解释说,"这可是曼格姆小姐最喜爱的一段——就如我刚才朗诵的那样。"

"她应该享受更为高级的生活。"我重复他的话。

"难道还有什么,"古德罗问道,"能比整天徜徉在古典作品之中,在知识与文化的气氛中生活更为高级的吗?你经常诋毁教育,但由于对简单数学的无知,你还不是白白费了许多力气?如果不是我用自己的知识指出你的错误,你要花多少时间才能找到宝藏呢?"

"我们先看河对岸的那些小山吧,"我说,"看看能有什么发现。我对磁差的说法仍表示怀疑。我活到这么大,一直相信磁针是正对北极的。"

第二天,六月早晨的阳光明媚灿烂。我们一早起来,吃了早饭。古德罗沉醉在四周的美景之中,在我烤咸肉的时候,他朗诵了——我想大概是济慈的诗句,可能是凯利,要不就是雪莱的。

这里的河不过是一条浅浅的小溪，我们已经准备好渡河到对岸，去勘测对岸那些山峰陡峭、松柏掩映的小山。

"我的好尤利西斯啊，"当我洗吃早饭用的铁盘子时，古德罗拍着我的肩膀说，"让我再看看那张迷人的图纸吧。我记得上面说要爬过一座马鞍形的小山。我从没见过马鞍，马鞍是什么形状的，吉姆？"

"这次文化没有用了吧。"我说，"我看见了就知道。"

古德罗看着老朗德尔留下的那张图纸，嘴里突然冒出一句很没有大学风度的骂人的话。

"过来！"他对着阳光举起那张纸说，"你看！"他用手指指点着给我看。

我看见那张蓝色的图纸上清晰地写了一行颜色较浅的字母和数字："莫尔文，一八九八。"这些我以前从未注意到。

"那又怎么样？"我问道。

"那是水印。"古德罗说，"这张纸是一八九八年生产出来的，可图纸上写的日期却是一八六三年。这分明是伪造的。"

"哦，可不能这么说吧，"我回答，"朗德尔一家都是很可靠、很淳朴、没有受过教育的乡下人。这说不定是纸张制造商们设下的骗局。"

这时，古德罗在他受过的教育所许可的范围内大发雷霆。他摘下眼镜，死死地盯着我。

"我早就说过你是个傻瓜。"他说，"你自己让那个乡巴佬骗了还不算，你还来骗我。"

"我怎么是骗你呢？"我问道。

"无知，你以你的无知骗了我。"他说，"我两次在你的计划里发现了严重的缺陷，只要受过小学教育，你都不至于犯下这种错误。此外，"他接着说，"这场寻宝骗局，让我花了不少冤枉钱，我可花不起。我不干啦！"

我站起身,拿着一把刚从洗碗水里捞出来的锡制勺子指着他。

"古德罗·班克斯,"我说,"在我眼里,你受的教育连颗煮得半生不熟的豆子都不值。我对别人的教育还能勉强容忍,对你的教育则是一贯鄙视。你的学问给你带来了什么益处?它祸害了你自己,还招来朋友的讨厌。走吧!"我说,"带着你的水印和磁差见鬼去吧!它们在我眼里什么都不是,根本阻止不了我寻宝的决心。"

我用勺子指着河对岸一座马鞍形的小山。"过一会儿我就到那座山上去,"我接着说,"搜寻宝藏。你现在赶快决定加不加入。你要是因为水印和磁差就打退堂鼓,就不是真正的探险家。赶快决定吧!"

河边的路上远远地升腾起一片白色的尘土,那是从赫斯帕卢斯开往奇科镇的邮车。古德罗拦住了它。

"这个骗局与我无关了。"他仍余怒未消,"现在只有傻瓜才会把那张图纸当回事。好吧,吉姆,你一向都是傻瓜。你留下来听天由命吧,我管不着。"

他收拾好私人物品,爬上邮车,神经质地推了推眼镜,在一片扬起的尘雾中消失了。

我洗完盘子,把马匹牵到一块新鲜的草地上拴好,然后过河,慢慢穿过松柏树丛,爬上马鞍形小山的山顶。

那是一个美妙的六月天。我这辈子都没见到过这么多的鸟儿,这么多的蝴蝶、蜻蜓、蚱蜢,还有天上飞的、地上爬的、长翅膀的、带螯刺的动物。

我把那座马鞍形的小山从山脚到山顶搜了个遍,都没有找到任何有关宝藏的线索。山上没有乱石堆,树上也没有指示道路的旧刻痕,朗德尔老头图纸上说的那笔价值三十万美元的宝藏,连影子也没有找到。

我沐浴着下午的凉爽下了山,走出松树丛,意外闯进了一个风景如画、树木葱茏的山谷。那里有一道小溪潺潺流过,注入阿拉米托河。

令我吃惊的是,一个野人模样的家伙闯入了我的视野。那人披头散发,胡子蓬松,在追捕一只翅膀华美艳丽的硕大无比的蝴蝶。

"说不定是从疯人院里逃出来的疯子。"我心里暗想。他怎么会跑到如此远离教育和知识的地方,这使我百思不得其解。

我又往前走了几步,看到小溪旁边有一幢藤萝覆盖的小屋,在林间的一小块草地上,梅·玛莎·曼格姆正在摘野花。

她站起身来,注视着我。认识她以来,我第一次看到她那像钢琴的白象牙琴键的脸上泛起了红晕。我一言不发,向她走过去。她手中刚摘好的野花慢慢地散落到草地上。

"我知道你会来的,吉姆。"她清晰地说,"爸爸不让我写信,但是我知道你会来的。"

接下来的事情,想必各位已经猜到了——我的车辆和马匹就在河对岸。

我一直弄不明白,一个人学到的知识再多,如果不能为己所用,那又有什么用呢?要是知识的好处都归了别人,教育的作用又何在呢?

我之所以这么说,是因为梅·玛莎·曼格姆与我厮守在一起。我们有一幢有八个房间的房子,四周橡树葱茏,一架带自动弹奏器的钢琴,牧场上圈养的牛数量相当可观,正向三千头发展。

我晚上骑马回家时,我的拖鞋和烟斗都被放到我找不到的地方了。

可是,谁在乎这些呢?谁在乎——谁会在乎呢?

剪亮的灯盏

当然,我们可以从两个方面来看待这个问题。让我们来看看问题的另一个方面吧。我们经常听人说起"商店女郎",事实上根本不存在这种人。有的只是在商店里工作的女店员,她们以此维持生计。那为什么要把她们的职业用做形容词呢?这对她们不公平。我们可没管住在第五大道上的那些姑娘叫"结婚女郎"。

卢和南希是一对很好的朋友。因为在家乡吃饭成问题,她们便一起来到这个城市找工作。南希今年十九岁,卢二十岁。两人都是活泼可爱的乡下姑娘,也都没有当演员的雄心壮志。

高高在上的小天使引导着她们找到了一所便宜而又体面的公寓。两人都找到了工作,开始拿薪水。她们仍然是好朋友。这样过了六个月,我才请你走上前来,将你介绍给她们。好管闲事的读者们:这两位是我的女朋友,南希小姐和卢小姐。你和她们握手时,请留意她们的打扮——不过可要小心点。是的,要小心点;不然她们也会像赛马场包厢里的女士一样,如果你总盯着她看,她肯定不会有什么好脸色。

卢在一家手工洗衣房里做烫衣工,薪水是计件的。她穿着件很不合身的紫色衣服,帽子上的羽饰长了四英寸;但她的貂皮手笼和围巾是花二十五美元买来的,而到了快换季时,这些物品在橱窗里的标价就成了七美元九角八分。她脸色红润,淡蓝色的眼睛闪闪发亮，对生活的满足使她显得神采奕奕。

南希就是你所说的那种商店女郎，你总爱这样说。事实上根本就不存在这一类人；但是是有一些顽固的人总是要找出这类人，那么姑且就把南希算做这一类吧。她梳着蓬巴杜式的高耸的发型，刘海却齐整得过分。她的裙子是用廉价衣料做的，式样倒还时兴。她没有皮大衣来抵挡早春的寒意，但是她得意洋洋地穿着她的呢料短大衣，仿佛那是用波斯羔羊皮做的。对于不屈不挠地寻找典型的人来说，她脸上和眼睛里流露出来的正是典型的商店女郎的神情。那是对虚度青春的无言的、轻蔑的抗议，那是对即将到来的报复的悲伤的预告。即便是她放声大笑的时候，脸上也依然挂着那样的神情。你也能在俄罗斯农夫的眼睛里看到同样的神情；当加百列吹响最后的审判的号角时，我们中间那些还活着的人在加百列的脸上也能看到这样的神情。那本该让男人们觉得羞愧不安的神情，可他们却总是满脸堆笑地送上鲜花——背后总是别有用心。

现在你可以举举你的帽子走开了。你接受了卢愉快的"再见"，以及南希甜蜜但却带有讽刺意味的微笑。不知怎么的，那微笑似乎总会从你身边擦过，像一只白蛾那样扑扇着翅膀飞过屋顶，飞上云端。

她们两人在街角等着丹。丹一直是卢忠实的追求者。你是想问他可靠吗？这么说吧，要是玛丽需要雇十来个人手替她找回她的羔羊，丹总会毫不犹豫地帮忙。

"你冷吗，南希？"卢说，"你可真是个大傻瓜，居然还待在那家老店里，每周只拿八美元的薪水！上个星期我足足挣了十八元五角。当然了，烫衣服不像站在柜台后面卖花边那么体面，但是能挣更多的钱啊。我们烫衣工每周至少能挣十元，我也不认为这工作有什么丢脸的。"

"那你就干呗，"南希翘了翘鼻子说，"我还是愿意拿我每周八美元的薪水，住走廊尽头的那个小房间。我就喜欢待在有漂亮东西和时髦人物的地方。还有很多机会在等着我呢！前几天我们店里手套部的一个姑娘就嫁给了一个从匹兹堡来的——炼钢的或铁匠什么的家伙——身价有一百万美元。总有一天我也要找个有钱人。我这可不是在吹嘘我的长相或是别的什么东西；可是，只要有大奖提供，我都要碰一下运气。待在洗衣店里能有什么机会？"

"嘿，我可就是在那儿遇到丹的。"卢得意地说，"他来拿他礼拜日要穿的衬衫和衣领，刚好看见我在第一张桌子上烫衣服。姑娘们都争抢着在第一张桌子上干活。埃拉·马金尼斯那天刚巧病了，我就接替了她的位置。他说他第一眼就注意到我的胳膊是多么浑圆雪白。我把袖子卷起来了。有些上等人也会到洗衣店来。你很容易就能认出他们，他们总是把衣服放在手提箱里，一眨眼就走了进来。"

"你怎么能穿这样的背心，卢？"南希眯起眼睛，带着温和而又嘲笑的目光看着那件让人讨厌的衣服，"这只能说明你的品位实在是太差了。"

"这件背心？"卢睁大眼睛，生气地说，"哎，它可花了我十六元啊。本来是值二十五元的，一个女人把它送过来洗，但再也没来拿。老板就把它卖给我了。这上面还有好多手工刺绣呢。你还是说说你自己身上的那件难看又普通的东西吧。"

"这件难看又普通的衣服，"南希平静地说，"可是仿照范·阿尔斯丁·费希尔太太的一件衣服款式做的。店里的姑娘们说去年她在我们店里总共花了一万二千元。这件是我自己做的，花了一元五角。你在十步以外的地方根本看不出我这件和她那件有什么区别。"

"哦，那好吧，"卢和善地说，"要是你想饿着肚子装模作样，那就随便你吧。我还是打算好好干活，多挣点钱；隔段时间给自己添置点漂亮衣服，只要我买得起。"

就在这时，丹来了——他打着活扣的领带，看上去很沉稳，丝毫没有沾染上城市人的浅薄习性——他是个每周挣三十美元的电工。他用像罗密欧一样忧伤的眼神望着卢，觉得她的刺绣背心简直像是一张蛛网，任何苍蝇都会欢乐地投入它的怀抱。

"这位是我的朋友，欧文斯先生——和丹福斯小姐握个手吧。"卢说。

"很高兴认识你，丹福斯小姐，"丹伸出手说，"我经常听卢提起你。"

"谢谢，"南希用冰冷的指尖碰了一下丹的手指，说，"我也听她说起过你——有那么几次。"

卢咯咯地笑着。

"这种握手的姿势也是你从范·阿尔斯丁·费希尔太太那里学来的吗，南希？"她问。

"如果是这样，你也能放心地跟着学学。"南希说。

"哦，我可学不来。这姿势实在太赶时髦了。将手抬得那么高，还不是为了卖弄一下钻石戒指。等我有那么几枚时再学也不晚。"

"还是先学吧，"南希精明地说，"这样你会有更多的机会弄到戒指。"

"好了，有关你们的争论，"丹保持着他一贯的愉快笑容说，"我有个建议。虽然我不能带你们去蒂凡尼珠宝店尽尽我的本分，但是去看看杂耍表演你们觉得怎么样？我已经买好了票。既然不能和戴着真钻石戒指的人握手，那就去看看舞台上的钻石吧？"

这位忠实的随从在人行道上紧挨着路边走；卢走在他的旁边，穿着鲜亮的漂亮衣服，就像一只骄傲的孔雀；南希则走在最里面，身材苗条，衣着像麻雀一样素淡，但是走路的姿势俨然是范·阿尔斯丁·费希尔太太的架势——他们三个人就这样出发去享受花销不大的晚间消遣了。我觉得大概没有多少人会把一家大型的百货商店看做教育机构。但对南希来说，她工作的地方倒使她获益良多。她整天被那些带着高雅精致的气息的漂亮东西包围着。要是你整天待在那样奢华的氛围中，不论付账的是不是你，你都可以尽情地享受那种奢华。

她接待的顾客多半是女士，她们的打扮、举止及在社交界的地位都堪称典范。南希开始从她们身上学习——按照她自己的想法从每个人身上学习最精华的东西。

她从一个人那儿学来了一种手势，并时常揣摩练习；又从另一个人身上学到意味深长地扬一扬眉毛的神态；还从其他人那儿学来了走路、拎包、微笑、与朋友打招呼以及和"地位低下的人"说话的姿态。在她最喜爱的典范范·阿尔斯丁·费希尔太太身上，她学来了一样绝妙的东西——就是低沉悦耳的嗓音，像银铃一样清脆，又像画眉的啼声般婉转。她浸染在充满上流社会的高雅和良好教养的气氛中，不可能不受到深刻影响。人们常说好习惯胜过好原则，那么我们也可以说，好风度胜过好习惯。父母的教导也许不能使你坚持新英格兰式的道德规范；但要是你坐在一把笔直的靠背椅上，将"棱镜和朝圣者"反复念上四十遍，魔鬼也会躲得远远的。每当南希用范·阿尔斯丁·费希尔的声调说话时，她就会因"贵人理应品格高尚"而陶醉不已。

在大百货商店这所学校还有一种学问的资源。如果你看到三四个商店女郎凑在一起，手镯晃得丁当直响，显然是在聊一些琐碎的小事，你可不要认为她们是在批评埃塞尔脑后的头发挽起的式样。这种碰头可能没有男人们的审议会那么庄重，可它的重要性也绝对不容忽视，就像夏娃和她的大女儿在第一次召开的会议上让亚当明确了他在家庭中的位置一样。这是女性为了对抗世界而共商防御和攻守策略的交流大会，世界就是一个舞台，而男人就是观众，不停地朝台上扔花。女人是最无助的小动物——她们拥有小鹿般的优雅，却没有它的矫捷；她们拥有小鸟般的美丽，却没有它展翅高飞的本领；她们拥有蜜蜂般的甜蜜，但却缺少它的——哦，还是不用这个比喻为好——可能有人会被蜇着。

在这次战争会议上，她们互相传递着武器，交流各自在人生战术中创造出来的策略。

"我对他说，"赛迪说，"你这个混蛋！你以为我是谁，竟敢对我说这种话！你们知道他是怎么对我说的？"

五颜六色的脑袋挤在一起，棕色的、黑色的、淡黄色的、红色的、黄色的，各式各样；她们得出了答案，定下了防守策略，只等着以后和共同的敌人——男人——在交锋时大显身手。

南希就这样掌握了防守艺术；而成功的防守对女人而言就意味着胜利。

大百货商店里的课程范围极其广泛。可能再也找不到比这更适合她的大学了，只有在这里，她才能实现人生的梦想——抽中她婚姻的奖券。

她在店里的位置非常有优势。音乐部离她很近，她有机会熟悉一流作曲家的作品——至少能让她在她一直跃跃欲试，想要跻身其中的社交界里装出一副鉴赏音乐的模样。她还从艺术品、昂贵讲究的纺织品和装饰品中吸收了潜移默化的影响，而这些几乎是女人全部的修养了。

其他的姑娘很快也了解了南希的野心。"瞧，你的百万富翁来了，南希！"只要任何看上去有几分气派的男人一靠近南希的柜台，她们就会这样冲着她喊。男人陪女人来买东西，在一边等着的时候，总会习惯性地溜达到手帕柜台旁看看亚麻手帕。南希模仿出身高贵的姿态和她的天生丽质，显得十分吸引人。因此有很多男人故意在她面前摆阔。有些可能是货真价实的百万富翁，其他的显然是些假装的冒牌货。南希知道应该如何分辨。手帕柜台的尽头有一扇窗户,她从那儿总是可以看到成排的汽车等在下面的街道上。她渐渐发现汽车和它们的主人一样也有很大差别。

有一次,一位讨人喜欢的绅士买了四打手帕,隔着柜台向她献着殷勤,那神态简直像极了科斐图亚国王。他走后,一个女店员对她说:

"怎么回事呀,南希,你对那个家伙怎么一点也不热情。我看他可像是个大人物啊。"

"他?"南希说着,又露出她那最冷淡、最甜美、毫无感情可言的范·阿尔斯丁·费希尔式的微笑,"我可不这么认为。我看见他是坐车来的,是一辆十二匹马力的汽车,司机还是个爱尔兰人!你看到他买的手帕了吧——是丝绸的!他还有指炎病。我要的可是货真价实的大人物,我决不委屈自己。"

商店里有两个最为"高雅"的女人——一个是女主管,另一个则是出纳员——她俩都有那么几个"有钱的男朋友",时不时地请她们出去吃饭。有一次,她们把南希也带过去了。他们去了一家非常豪华的餐馆,在那里,除夕夜的餐桌都得提前一年订好。再看看那两位"男朋友",一个已经秃顶——这都是奢侈的生活造成的,我们可以证明这一点;另一个则总爱用两种方式向人证明他身份高贵,阅历丰富——他发誓所有的酒都带有木塞的气味,而他用的是钻石袖扣。这个年轻人发现南希身上具有令人难以抗拒的魅力。他一向青睐商店女郎,而这个姑娘不仅具有她那个阶层的坦率,还具备了上流社会的举止谈吐。于是,第二天他便出现在商店里,买了一盒漂白的爱尔兰亚麻绣边手帕,并趁着这个机会郑重地向她求婚。南希拒绝了他。十步远的地方,一个把棕色头发梳成蓬巴杜式的女店员一直在观望。当那个失败的求婚者离开后,她便劈头盖脸地教训起南希来。

"你真是个十足的小傻瓜!那家伙可是个百万富翁——他是范·斯基特斯老头的侄子。看上去他对你是真心的。难道你疯了吗，南希？"

"是吗？"南希说，"我没有答应他，不是吗？他可不是你想象中的百万富翁。他家里每年只给他两万美元的花销。那天吃晚餐时，那个秃顶的家伙因为这个还嘲笑过他。"

女店员眯着眼睛又凑近了一些。

"嘿，那你到底想要什么？"因为没嚼口香糖，她的声音显得嘶哑，"你觉得这还不够吗？难道你想做摩门教徒，跟洛克菲勒、格拉德斯通·道威和西班牙国王这些人都结上一次婚？难道一年两万美元还不够你花的吗？"

在那双浅薄的黑眼睛的注视下，南希的脸微微红了一下。

"不仅仅是钱的问题，卡丽，"她解释道，"那天吃晚餐的时候，他的朋友揭穿了他的谎言。他说他没和某个姑娘一起去过剧院，然而事实并非如此。我无法忍受爱说谎的人。总而言之——我很不喜欢他，就是这样。就算交易，我也不会选一个大甩卖的日子。我要的是一个真正的男子汉。没错，我是在寻找目标；可他总要有些本事，不能只像个储钱罐一样。"

"精神病院是专门为你这样的人开设的！"那个梳着蓬巴杜式的棕色头发的姑娘说完便走开了。

南希继续用她那每周八美元的薪水培育着这些崇高的想法——如果还算不上是理想的话。她啃干面包，勒紧腰带，日复一日，不知疲倦地追踪着那个未知的大"猎物"。她的脸上总是露出胆怯又勇敢、甜美又冷酷的微笑，仿佛注定天生要把男人作为猎物。商店是她的猎场，有许多次，她仿佛已经发现了真正的大猎物，举起来复枪瞄准；但总有一种深刻准确的本能——或许是猎人的，又或许是女人的——阻止她开枪，让她继续追踪。

卢在洗衣店里干得挺好。她从每周十八元五角的薪水里拿出六元交食宿费，其他的大部分都花在衣服上。和南希比起来，能让她提高品位和风度的机会非常少。热气腾腾的洗衣房里除了工作还是工作，至多再加上对晚上消遣的一些遐想。无数昂贵漂亮的衣服从她的熨斗下经过；也许她对于衣服日益增长的喜爱正是由这个导热金属传到她身上的。

干完一天的活后，丹总会在外面等着她，不管她站在什么样的光下，他都一直是她忠实的影子。

有时他老实而困惑地看着卢的衣服，它们在款式上没有太多的进步，倒是变得越来越花哨了，不过这并不代表不忠实；他只是不喜欢它们在街上太过引人注目。

卢对她的好朋友也还像以前一样忠实。无论他们去哪儿，总要带上南希，这已经成了习惯。丹愉快热情地接受了这个额外的负担。这么说吧，在这个寻找娱乐的三人组合中，卢提供了色彩，南希渲染了氛围，而丹则承担了重任。这个护卫穿着整洁但显然是做好的成衣，打着活结领带，带着可靠而又亲切的智慧，从不大惊小怪，也从来不发牢骚。有一些人，当他们在你面前的时候，你常常会忽略他们，而他们离开后你却会清楚地想念他们，丹就是这样的人。

对南希的高雅品位来说，这些现成的乐趣有时多少会有些苦涩；不过她还年轻，年轻人虽然还成不了美食家，但多换换口味总是没害处的。

"丹总要我马上就嫁给他，"卢有一次对她说，"可我为什么要这样做呢？我靠自己。我自己挣的钱想怎么花就怎么花；结婚后他肯定不让我继续干活。南希，你干吗还待在那家商店里呢，吃饭穿衣都成问题了。如果你愿意，我立刻就能在洗衣店里给你找个位置。我想，要是你能多挣点钱，你就不会那么高傲了。"

"我可不认为自己高傲，卢，"南希说，"我宁可待在那里，靠微薄的薪水过活。我觉得我已经习惯了。那里有我想要的机会。我可没指望总是站在柜台后面。每天我都能学到些新东西。和我打交道的都是些高雅阔绰的人——虽然我只是在为他们服务而已；而且我不会让任何一个机会从我眼前溜走的。"

"找到你的百万富翁了吗？"卢取笑着问。

"还没选出来呢，"南希回答说，"我一直在筛选。"

"天哪，你还要筛选他们！可别错过了什么人，南希——就算他的钱离你的要求还差那么一点儿。不过，你一定是在开玩笑——百万富翁怎么会看得上我们这些做工的姑娘。"

"他们应该好好看看，这样对他们有好处，"南希冷静地说，"我们这样的姑娘能教他们如何管好他们的钱。"

"要是有个百万富翁和我说话，"卢笑着说，"我准会吓得不知道该怎么办才好。"

"那是因为你还不认识他们。有钱人和一般人的差别就在于你得把他们看得牢牢的。你那件外衣的红丝绸衬里是不是太鲜艳了，卢？"

卢看了看她朋友那件朴素的暗绿色短上衣。

"嗯，我倒不这么认为——不过和你穿的那件像是褪了色的东西比起来，也许是鲜艳了点。"

"这件短上衣，"南希沾沾自喜地说，"和范·阿尔斯丁·费希尔太太前几天穿的那件款式完全一样。料子花费了三元九角八分。我想她那件至少得多花一百多元。"

"哦，好吧，"卢轻松地说，"我可不觉得凭这样的衣服就能钓到一个百万富翁。要是我比你先逮住一个，你可别太吃惊啊！"

说实话，恐怕只有哲学家才能评判出这两个朋友各自理论的价值来。有些姑娘骄傲挑剔，宁可待在商店和写字间工作，勉强维持生活；可卢不是这样，她在喧闹沉闷的洗衣店里快活地熨着衣服，她的薪水足够让她过得舒服自在，她的衣服也因此越来越多，有时她还会不耐烦地朝身边的丹瞟上一眼——那个衣着整洁却不够优雅的丹，那个坚定不移、永不改变的丹。

而南希的情况则和成千上万的人一个样。丝绸、珠宝、花边、装饰品、香水和音乐——这些代表着上流社会的良好教养和品位的东西是专门为女人准备的，也是她应该拥有的。假如对她而言，它们就是生活的一部分，如果她愿意的话，就让她接近这些东西吧。她可不会像以前那样出卖自己了，尽管她挣来的浓汤经常少得可怜，可她维护着自己与生俱来的权利。

这样的环境正适合南希；她过得非常惬意，坚定而满足地吃着节俭的食物，在便宜的衣服上精打细算。她已经十分了解女人了；现在她正在研究着她的猎物——男人，琢磨他们的习性以及符合要求的条件。总有一天，她能逮住她想要的猎物；但是她对自己许诺，她一定要得到对她来说最大最好的一个，哪怕差一点都不行。

因此，她剪亮了灯盏，等待那个时机一到就会出现的新郎。

不知不觉中，她学到了另外的东西。她的价值标准开始变化了。有时，美元的符号在她的头脑里变得模糊起来，变成了一些字母，拼成"真理"和"荣誉"的单词，偶尔甚至还会变成"善良"这两个字。让我们来打个比方，有一个在大森林里猎捕大角鹿的人，看见一个小山谷里遍地青苔，绿树环绕，还有一条潺潺流淌的小溪，轻声向他诉说着平静和安逸。在这样的时刻，就连宁录的长矛也会变钝。

因此，有时南希也会纳闷，那些穿着波斯羔羊皮大衣的人对它的估价是否总是和市价一样。

一个星期四的晚上，南希下班后，穿过第六大道，朝西边洗衣店的方向走去。她和卢还有丹约好了一起去看音乐喜剧。

当她到达那儿时，刚好碰到丹从洗衣店里出来。他的脸上露出奇怪而又紧张的表情。

"我过来看看她们有没有她的消息。"他说。

"谁的消息？"南希问，"卢不在？"

"我以为你知道了，"丹说，"从上个星期一开始她就不在这里干了,她住的房子里也找不到她。她把所有的东西都搬走了。她对洗衣店里的一个姑娘说,她可能会到欧洲去。"

"有人在哪儿见到过她吗?"南希问道。

丹看着她,神情严肃,下巴紧绷,坚定的灰眼睛里闪烁着钢铁般的光芒。

"洗衣店里的姑娘告诉我,"他哑着嗓子说,"她们昨天见过她了——坐在一辆汽车里。我想可能是跟一个百万富翁在一起吧,就是你和卢总惦记着的那种人。"

南希生平第一次在一个男人面前感到有些畏缩,她将微微颤抖着的手搭在丹的衣袖上。

"你不能对我这么说,丹——好像我和这件事有什么关系似的!"

"我没那个意思。"丹的语气显得温和了些。他在背心口袋里摸索着什么。

"我这里有今晚的戏票,"他故作轻松地说,"要是你——"

南希欣赏的就是这样的勇气。

"我跟你一起去,丹。"她说道。

三个月后,南希又见到卢了。

一天傍晚,商店女郎沿着一个安静的小公园急匆匆地往家赶。她听到有人叫自己的名字,刚一转过身,卢就扑进了她的怀里。

拥抱之后,她们便像蛇一样往后扬着头,似乎是准备好了要进攻或是引诱对方,彼此灵活的舌头上颤动着无数的问题。就在这个时候,南希注意到卢已经变得十分阔绰了,浑身上下全是昂贵的皮毛、亮闪闪的珠宝和裁缝艺术的杰作。

"你这个傻瓜!"卢充满感情地大声叫着,"我想你还是在那家商店里干活吧,穿得还和过去一样寒酸。你打算抓住的那个大猎物怎么样了啊——我想,还没什么收获吧?"

然后，卢看着南希的脸，发现她身上有一种比阔绰更好的东西——那东西在她的眼睛里闪烁着比珠宝更耀眼的光芒，在她的面颊上比玫瑰还要娇红，像电流一样舞动，急切地想从她的舌尖上释放出来。

"是的，我还是在商店里干活，"南希说，"不过下个星期我就要离开那里了。我已经抓到了我的猎物——是世界上最棒的猎物。卢，现在你不会介意了，是吗？——我要和丹结婚了——跟丹！——现在他是我的——你怎么了，卢？"

一个刚刚加入警队、面容光洁的年轻警察从公园的拐角处悠闲地走了过来，这些新生力量令警队增色不少——至少让人觉得看上去舒服一些。他看见一个穿着昂贵的皮大衣、戴着钻石戒指的女人，伏在公园的铁栅栏上放声大哭，而另一个身材苗条、穿着朴素的打工女郎紧挨在她身旁，努力安慰着她。这个新一代的吉布森式的警察装做什么也没看见，径直走过去了。他很明智，他知道就他所代表的权力来说，这些事情超出了他力所能及的范围，不过他还是用警棍使劲地敲了敲人行道，直到那声音响彻夜空。